SOBRE EL PAPEL

(CUENTOS Y ARTÍCULOS, 2009 – 2012)

Carlos Pérez Torres

To Yvonne & Ross Walsh,
wishing they can make some
progress in Spanish, and
hoping we can meet again
sometime either in Wicklow
or in Malaga.

[signature]

30th April 2013

Sobre el papel
Carlos Pérez Torres

Editado por:
PUNTO ROJO LIBROS, S.L.
Cuesta del Rosario, 8
Sevilla 41004
España
902.918.997
info@puntorojolibros.com

Portada: 'Deserted village by the shore'

Impreso en España
ISBN: 978-84-15761-92-1

Diseño de portada
© 2013 (Manus Walsh)

Maquetación, diseño y producción: Punto Rojo Libros
© 2013 Carlos Pérez Torres
© 2013 Punto Rojo Libros, de esta edición

A la memoria de Enrique Pérez Almeda:
maestro, pintor, mi padre.

Prefacio

En diciembre de 2008 echó a andar el proyecto www.ymalaga.com como 'el primer periódico digital independiente de la mañana'. Desde el principio su director contó conmigo, reservándome un hueco para la literatura. De este modo, el peso de la actualidad podía abrir un paréntesis y la aparente frialdad de la pantalla y la tecla podría dar paso al calor de nuevas dimensiones para las palabras, las ideas y las emociones escritas como en un remanso, sin estridencias, dichas en voz baja. La intención era buscar en mis textos la complicidad de quien quisiera tomarse un receso, descansar de tanta realidad, y compartir mis reflexiones sobre el hecho de la creación literaria.

En este libro se reúnen muchos de los artículos que aparecieron en Ymálaga hasta agosto de 2011. La serie hizo un recorrido largo, con un corpus bien definido que abordó en su temática novelas, cuentos, poemas, obras de teatro, ensayo y cómics; diseccionó las posibilidades de los libros y glosó las virtudes del hábito lector; disertó sobre el valor de las traducciones, la fidelidad de las adaptaciones, la magia de las revelaciones que las palabras nos pueden traer en medio de los pensamientos distraídos y las acciones rutinarias de nuestro día a día; formuló algunas críticas y propuestas; buscó pistas y símbolos, y habló de portadas, técnicas, recursos, formatos e intenciones; persiguió la estela de nuestros mejores clásicos de la literatura en las casas, las aulas, las bibliotecas... y hasta en los jardines y las calles de nuestro paisaje urbano. Y, finalmente, completó su incompleto glosario de nombres de autores, obras, movimientos y estilos.

Desde ese verano de 2011, me concentré en la escritura de relatos (muy breves, de la misma extensión aproximada que los artículos anteriores), buscando que en ellos se pudieran ejemplificar muchos de los temas de reflexión que proponían los artículos. De hecho, algunos de estos cuentos pueden llamarse *metaliterarios* porque sitúan al hecho literario mismo en el centro de su asunto.

Al presentarse en este libro los cuentos antes que los artículos ensayísticos, pretendo plantear primero la práctica de la ficción, y luego teorizar sobre ella, realizando un recorrido por la creación literaria en sentido inverso: demostración primero, y reflexión luego. Tanto unos como otros, nacieron verticales y tuvieron su primer destino en pantallas de ordenador. Ahora los ojos lectores pueden verlos acunados entre manos acogedoras, y supuestamente, su calor podrá transmitirse de un modo más directo. Así, ya digo. En teoría, y sobre el papel.

Índice

2. ARTÍCULOS

SOBRE EL PAPEL

1. CUENTOS

Circular

(21-12-2009)

Giré la cabeza hacia mi izquierda para mirar por la ventanilla los charcos que amenazaban ya con convertirse en sucios riachuelos capaces de organizar en pocos minutos su estrecho marcaje a todas las aceras de la ciudad. Volví a girarla para concentrarme en mi libro e iniciar la lectura del siguiente relato, cuyo título era "Circular". "Extraño título", pensé, pero más extraña me pareció la constatación de que las primeras descripciones coincidieran punto por punto con el paisaje que yo tenía a mi alrededor. La narración también se situaba en el interior de un autobús, y cuando leí que las luces reflejaban como un brillo azul eléctrico en los rostros de todos los pasajeros, alcé la mirada para hacer, disimuladamente, un barrido por todo mi campo de visión que confirmó esa impresión.

Caí en la cuenta de que el autobús en el que iba montado se llamaba igual que el relato: Circular. Poco después, para mi absoluta fascinación y sorpresa, las acciones descritas en el relato se repetían con precisión asombrosa en personas reales, de carne y hueso: el muchacho de aspecto debilucho que oía su iPod encadenaba dos estornudos escandalosos ante la mirada compasiva de la persona que se sentaba a su lado, una señora que vestía un abrigo exactamente igual, en forma y color, que el descrito en mi libro; un hombre joven, justo después de leer yo ese párrafo, se levantó y pulsó varias veces seguidas (lo cual no es muy frecuente) el botón de "parada solicitada", provocando las risitas de un grupo de jovencitas a quienes en mi libro se les llamaba "damiselas". Empecé a plantearme cambiar los términos de mi reflexión anterior, y en lugar de pensar que las acciones descritas se repetían, podría decir que las acciones previstas se iban cumpliendo. ¿Podría, incluso, cambiar la palabra "pasajeros" por la de "personajes"? ¿Quién, o qué, era yo, entonces?

Seguí leyendo con fruición buscando pistas sobre mí mismo en el relato, y mi hipótesis principal se fortaleció cuando, efectivamente, un hombre calvo y con bigote se sentó a mi lado en la parada siguiente, nada más cruzar la Plaza de la Solidaridad, y mojó involuntariamente la punta de mi zapato derecho con el pico de su paraguas. Justo entonces, como un acto de pequeña rebeldía o, tal vez, como un desafío que intentaría resolver terminando luego la lectura, cerré el libro y no pude evitar dirigirme a mi nuevo compañero de asiento:

—Disculpe, señor. ¿Le importaría fijarse en la mujer pelirroja que está sentada enfrente? Creo que está a punto de recibir una llamada en su teléfono móvil. Y dentro de cuatro paradas se producirá un relevo de conductores. Lo pone todo aquí, en este libro.

El hombre del bigote me miraba con ojos desorbitados, sin dar crédito a mis palabras. Por fin, despegó sus labios en el mismo instante en que sonaba el móvil de la pelirroja para espetarme en tono despreciativo:

—¿Y también pone ahí lo que estoy pensando ahora?

—Sí señor —le respondí—. Pero le aseguro que no estoy loco.

—¡Vaya por Dios! Se cree usted todo un personaje, ¿verdad?

—Perdone, pero personajes somos todos —le repliqué—. Precisamente la misión del escritor es la de anticipar las acciones y los pensamientos de todos nosotros.

El hombre del bigote se desentendió de la conversación con un ostensible giro de cuello. En el visor del autobús Circular apareció el rótulo "Ing. Torre Acosta". Era mi parada, pero en realidad no tenía prisa por llegar a casa, y decidí abrir un compás de espera y no apearme hasta después del inminente cambio de conductores. Reprimiendo mis ganas de reemprender la lectura, busqué distraerme mirando por la ventanilla los charcos de la calle, que amenazaban ya con convertirse en sucios riachuelos capaces de organizar en pocos minutos su estrecho marcaje a todas las aceras de la ciudad.

El cielo que lloraba

(04-05-2011)

Para Ana Mª Ramos

Acabábamos de dar los géneros literarios y los alumnos debían preparar el tema de los recursos expresivos para el examen de la semana siguiente, así que aquel día decidí dedicar la clase a intentar pasar de la teoría a la práctica, y propuse, como ejercicio, que cada uno escribiera un relato. No habría limitaciones de ningún tipo: la temática y la extensión serían libres, la historia podría estar basada en hechos reales o ser inventada por completo, y, como motivación adicional, además de la correspondiente nota de clase, los dos mejores relatos nos representarían en el certamen literario escolar que acababa de volver a convocarse.

Llovía con fuerza, y las gotas en rápido descenso echaban carreras en la ventana que yo tenía junto a mi mesa mientras los niños escribían en silencio. Justo cuando yo empezaba a rememorar el conocido poema de Antonio Machado de la monotonía en la clase, el de Caín y Abel, un niño se acercó a mi mesa para pedirme que le cambiara la tarea. Me dijo que podría hacer cualquier otra cosa, pero que no se sentía capaz de escribir un relato, que él nunca había sido un buen estudiante, y que no sabía inspirarse.

—Además —me dijo, muy serio— los días de lluvia me recuerdan a mi abuelo, y me entra tristeza, y entonces no puedo concentrarme.

Le fui preguntando algunas cosas y así me fui enterando de que el hombre había fallecido meses atrás. Se llamaba Severino, y era el padre de su madre. Después de explicarme por qué lo tenía asociado con la lluvia —una historia llena de hermosas coincidencias— me soltó, con toda naturalidad, el siguiente pensamiento:

—Es como si yo todavía llorara un poco por dentro, y el cielo también llorara por fuera.

Un momento después, cuando ya me estaba repitiendo que él jamás sabría cómo aplicar todos esos recursos que habíamos estudiado en clase, yo le hice ver que si las gotas de lluvia eran lágrimas, eso era una metáfora, y que si el cielo podía llorar, eso se llamaba prosopopeya.

—¿No ves que estás usando esos recursos sin darte cuenta? —le pregunté mientras le cogía amistosamente el brazo.

Entonces comprendió que todo aquello no era cuestión de conceptos o capacidad de estudio, sino que tenía que ver con los sentimientos. Se quedó callado unos segundos, y yo aproveché para rematar la faena:

—Olvídate de los apuntes por ahora. Vuelve a tu sitio, y sigue buscando dentro de ti. Seguro que eres capaz de escribir justo lo que me acabas de contar a mí. Si pudieras hacerlo con las mismas palabras, será el más hermoso relato que podría yo esperarme en un día como hoy.

Pablo me dedicó una mirada agradecida, y sonrió levemente antes de volver a su sitio y abrir el cuaderno de nuevo.

Lloviznaba aquella mañana de sábado en que habían fijado la entrega de los premios. Ese día acompañé a la familia de Pablo y me senté junto a ellos, en la misma fila. Afuera, el cielo lloriqueaba tímidamente y recuerdo que su madre, tres sillas a mi derecha, también se afanaba en ocultar unas lágrimas contenidas. En cambio, la sonrisa de Pablo cuando se acercó a recoger su cheque y su diploma iluminó la sala de tal forma que hizo innecesario el uso de flash para las fotografías.

Apertura italiana

(11-06-2011)

Doce y media de la mañana. Sábado de compras en Mercadona. Normalmente yo me encargo de las bebidas y los productos lácteos, improvisando a veces algún que otro caprichito, pero es mi mujer quien realmente se ocupa del resto de las compras necesarias mientras yo empujo el carrito. En esas ocasiones mi pensamiento vuela hacia territorios insospechados entre repasos, planes o distracciones varias: momentos recientes de tensión o distensión, calendario de próximas ocupaciones y asuntos pendientes, ideas para el fin de semana, diálogos banales o temas para mis artículos.

Hoy me pongo a recordar un texto que servía de presentación a un taller de narrativa. Lo leí en Internet la semana pasada, y estuve de acuerdo con casi todos sus argumentos. Venía a decir que a veces las grandes novelas no están dentro de la cabeza del escritor sino allá afuera, en el mundo circundante: en las vidas de tus familiares, en los 'breves' que reseña la prensa, o en los ruidos extraños, cómicos, misteriosos... que provienen de un ascensor, de un probador, de la oficina de al lado, del piso de arriba. Que bastaba con buscar en la cotidianidad para hallar sin demasiada dificultad los esqueletos de unos personajes que luego la imaginación del escritor irá completando. Que sólo había que encontrar una buena historia, y luego saber contarla.

En esas estoy cuando de pronto, mientras cargo las cervezas, me tropiezo levemente con un tipo bastante especial: hombre; unos veinticinco años; aspecto latino, muy vehemente; estrafalario en el vestir (¡chanclas con calcetines!); mal afeitado; flequillo flotante. Gesticula bastante, y, dada su cercanía, puedo percibir que va hablando solo, aunque no distingo en qué idioma. Son murmuraciones leves que me llegan fragmentadas, como frases inconexas. Mientras toquetea los envases con la mano derecha, con el puño izquierdo parece ir estrujando un extremo de su desvaída camiseta, de por sí ya bastante arrugada.

Inmediatamente intento convertirlo en un proyecto de personaje, situarlo en una trama, ponerle nombre, y a la vista de la evidente peculiaridad del sujeto, aventurar un diagnóstico. En un minuto se van sucediendo perfiles de lo más diverso: programador informático, ajedrecista compulsivo, estudiante de filosofía, romántico incurable, aprensivo, sensible, melómano, pedófilo.

Nuestros caminos se separan pero yo sigo enganchado con mi personaje y ya se me ocurre incluso el título de "Apertura italiana" para el primer capítulo, presumiblemente de planteamiento complejo y desarrollo lento, como lo sería el juego sobre el tablero. El carro ya está bastante lleno, y lo arrastro con dificultad camino de los congelados. Por un momento, el espejo de la columna refleja mi imagen justo cuando silabeo, de un modo inconsciente, A-per-tu-rai-ta-lia-na, pronunciando ambas palabras en voz muy baja.

Me sorprendo entonces a mí mismo hablando solo, experimento una sensación de desagrado, y busco de nuevo mi imagen en el espejo. Descubro mi mal afeitado y dos botones cojos en mi camisa. Al menos, mi flequillo y mis mocasines están en regla. Avergonzado, miro a mi alrededor y descubro a un tipo, a unos metros de mí, que me mira sin disimulo y parece observar mi comportamiento. Tiene toda la pinta de ser un escritor a la búsqueda de un personaje.

—¿Se puede saber qué te pasa? Estás muy rarito hoy — me interrumpe la voz de mi mujer, iniciando una cadena de amables reproches.

—¿Nos vamos ya? — pregunto yo, pretendiendo terminar por la vía rápida. Pero es inútil, porque ella sigue con su retahíla:

—...y deja ya de arrugarte los faldones de la camisa, que luego me toca a mí plancharla.

El ajedrecista compulsivo reaparece, recién atravesada para él la frontera de la línea de cajas, y desde la cristalera de la puerta, ya prácticamente en la calle, se vuelve repentinamente y parece dedicarme una sonrisa.

Las mil y dos noches

(01-08-2011)

—Érase una vez un reino del Lejano Oriente donde todos estaban muy tristes porque la princesa, la hija del Gran Visir, que se llamaba Soukhaina, había caído en un estado de melancolía y abatimiento del que nada ni nadie podía sacarla. Su padre decidió premiar con grandes honores y riquezas a la persona que consiguiera que su hija volviera a reír y a soñar, así que mandó publicar un bando e hizo que lo anunciaran por todo el país. Sin embargo, después del tiempo fijado, sólo tres hombres se presentaron como aspirantes: el primero era un científico llamado Abdelhaziz; el segundo, un médico llamado Abderrazak; y el tercero, un campesino llamado Abduláh.

Abdelhaziz era un hombre serio con largas barbas, y durante una semana estuvo conectando cables y haciendo experimentos en la cámara de la bella Soukhaina porque decía que quería conseguir la teletransportación de su cuerpo a una época futura en la cual no habría sufrimientos y todas las personas vivirían dichosas. Cuando fracasó, lo expulsaron del palacio y llamaron al segundo aspirante.

Abderrazak era un hombre de cabeza redonda y poco pelo, que decía conocer las propiedades de todas las hierbas medicinales del mundo. Durante una semana estuvo preparando infusiones y toda clase de pócimas y bebedizos que buscaban restablecer el bienestar de la bella Soukhaina, y que sin embargo no lograron que mejorara siquiera un poquito. Cuando fracasó, lo expulsaron del palacio, y antes de llamar al tercer aspirante, los contables del reino comunicaron al Gran Visir que los gastos ya habían excedido el presupuesto, pues los combinados de protones, neutrones y electrones que había pedido Abdelhaziz habían resultado carísimos, y el transporte de las semillas y hojas que había pedido Abderrazak había hecho preciso contratar barcos que viajaran hasta los rincones más exóticos y alejados del globo.

Abduláh era un joven barbilampiño de ojos expresivos que aseguró, para gran alborozo de todos, que sólo necesitaba unas hojas en blanco, una pluma y tinta con la que poder escribir. En esas hojas fue fijando por escrito las historias que su portentosa imaginación le permitía inventar, y luego, cada tarde, acudía a la cámara de la bella Soukhaina para leérselas.

Al cabo de una semana, la princesa no sólo volvió a reír y a soñar, sino que se enamoró perdidamente de Abduláh, y ambos planearon comenzar a vivir su propia historia juntos. Al Gran Visir le pareció bien y les dio su permiso y su bendición para casarse, pero antes le preguntó a su hija qué es lo que había hecho que se recuperara con tanta facilidad. Ella respondió que la teletransportación a otros mundos que buscaba el científico la conseguía Abduláh con sus palabras, y que el bienestar que buscaba el médico le llegaba cuando ella rememoraba las historias que Abduláh le contaba. Ante tales confidencias, el Gran Visir decidió crear un nuevo organismo estatal, el Ministerio de la Imaginación, para que su yerno pudiera ganarse bien la vida. Soukhaina y Abduláh fueron muy felices durante el resto de sus vidas, y colorín colorado, este cuento se ha acabado.

—Este cuento me ha gustado mucho, papi.

—Tenía que esmerarme un poco para una ocasión especial. No todos los días se cumplen seis años.

—Yo ya soy grande, pero me gusta que me sigas contando cuentos.

—Ya verás qué sorpresas te tenemos preparadas para mañana.

—¿Sabes qué quiero que me regales?

—Más muñecas no serán.

—Frío, frío...

—¿Una bicicleta?

—Frío, frío.

—Me rindo.

—Una libreta y un boli — dijo la niña, dejando luego escapar una risita al ver la cara de sorpresa que puso su padre.

—Bueno, ya veremos.

—Así podrás escribir todos los cuentos que te inventas; que si no, se te van a olvidar.

—Mejor escribe tú los que se te vayan ocurriendo a ti, porque a mí ya se me están acabando las ideas. ¿Vale?

—¡Vale ! — respondió la niña con entusiasmo, haciendo que brillara en la penumbra del cuarto un halo de ilusión en sus ojos y en su sonrisa.

Se dieron el beso de buenas noches, y cuando ya el padre estaba franqueando la puerta y se disponía a apagar la luz del pasillo, escuchó la vocecilla que le preguntaba:

—¿Cuántos cuentos me habrás contado ya, papi?

—Pues... —el padre frunció el ceño para hacer un cálculo somero, y respondió entre susurros— tendrías poco más de tres años cuando empecé, y desde entonces no he faltado ni una sola noche, así que muchos, muchos.

—¿Más de mil?

—Uno o dos más, seguro.

No hicieron falta más palabras. Se enviaron otro beso ayudándose de los dedos, que tocaron suavemente los labios, e incluso después de haber cerrado los ojos, la niña sonreía, contenta y satisfecha como sólo los niños pueden estarlo.

El hombre apagó la luz y también esbozó una sonrisa porque sentía que ese día todo le había salido bien.

Perfiles

(14-11-2011)

Ese día había algo extraño flotando en el ambiente, un aire como premonitorio que pareció traducirse en los curiosos fenómenos que se sucedieron en el breve espacio de tiempo que transcurrió desde que bajé a comprar el periódico y a sacar dinero, hasta que volví a casa.

Al pasar frente a la esquina de la cafetería me llamó la atención una voz que me sonaba familiar: era de alguien sentado en las mesas de fuera que estaba enzarzado en una amable discusión con otros contertulios. Atisbé su rostro de perfil, y aunque no lo reconocí, el timbre y el tono de su voz, e incluso algunas palabras y giros no demasiado comunes, me resultaban tremendamente cercanos.

Cuando me acercaba al quiosco advertí en dos personas que charlaban en el portal más próximo una reacción que me molestó. Me miraban a hurtadillas, despreciativamente, como criticándome. Al oponerles yo mi mirada descaradamente noté en los ojos de uno de ellos una conexión intermitente, como la llamada genética de algún eslabón perdido.

Dudando si acercarme a ellos, me distrajo el gesto generoso de un hombre que se avino a comprarle unas chucherías al niño que hipaba sus pucheros junto al quiosco. Después de dárselas, le acarició la cabeza y de pronto giró la suya hacia donde yo estaba, y juraría que me dedicó un guiño —o eso al menos me pareció— antes de desaparecer misteriosamente.

Con el periódico enrollado en mi mano izquierda me acerqué hasta el cajero automático, pero tuve que hacer tiempo hasta convencerme de que era inofensiva la actitud del individuo que permanecía sentado en el banco que hay justo en frente. Parecía una estatua, un perfil de mármol, con la mirada fija en algún punto de un horizonte inexistente. Apenas parpadeaba, y no movió un músculo hasta que decidió, en el mismo momento en que yo guardaba mi dinero, levantarse pesadamente y caminar despacio, como yendo a ningún sitio. De espaldas, me pareció reconocer en él los andares de mi padre.

Subiendo en el ascensor, pensé que en cada uno de esos encuentros yo iba rastreando aspectos de mi propia personalidad. Recordé mi reputación de polemista, repasé como punto negativo de mi carácter la tendencia a magnificar los errores ajenos, y como punto positivo mi manera de entregarme a mis quehaceres, mi modo de ser desprendido y desinteresado. Al abrir la puerta, añoré un estilo de vida menos estresado, más contemplativo, con oportunidades para detenerme a meditar sobre las cosas. Dejé el periódico sobre la mesa convencido de que observando a los demás es como mejor puede uno verse a sí mismo.

Sabía que en las páginas interiores me esperaba un atracón de noticias desagradables: crisis y desesperación, corruptelas y desfalcos, sucesos sangrientos, promesas vacías. No me atrevía a abrir el periódico porque temía encontrar nuevos parecidos, así que desvié mi atención hacia el rumor de la radio y corrí a subir el volumen de la noticia que estaban dando: en Málaga un hombre de mediana edad había encontrado un maletín olvidado con una gran cantidad de dinero en metálico, y había decidido devolverlo a su propietario, cuyos datos constaban en los documentos del interior. En ese momento lamenté que no hubiera imágenes porque me apeteció de pronto comprobar si el perfil de ese hombre podría, alguna vez, parecerse al mío.

Musarañas

(08-12-2011)

Me dijo Quintana el otro día que él disfruta con el tenis porque tiene acción y movimiento, le exige un esfuerzo, le hace sudar, y además, el desenlace de los puntos es inmediato, pero que no comprende a los ajedrecistas que se pasan horas quietos y pensativos delante de un tablero, y que por eso el ajedrez le parece un juego (dijo "juego") muy pobre.

El pobre es él, que ni sospecha toda la acción que el pensamiento puede desplegar con las posibilidades combinatorias en una partida cualquiera. En mis años de bachillerato, mi profesor de filosofía defendía una teoría según la cual el mundo exterior —eso que todos llaman "la realidad"— en realidad no existe para ti (valga la redundancia), y es tu mundo interior el que determina toda tu realidad. Pienso, luego existo. Ya lo decía Descartes, y teniendo un apellido como ese, nunca hay que descartar que tuviera razón. Es el pensamiento el que te da la vida.

Miro por la ventana y siento que me da igual lo que hagan o digan aquellos hombres que charlan y fuman a la puerta del bar, o lo que le pase al chaval que ahora cruza por delante del grupo con su monopatín. Y a ti también te daría igual, siempre que no los conocieras, o aunque los conocieras de vista, fueran del todo extraños para ti. En cambio, si fueran familiares, amigos o vecinos, entonces tu cerebro se encargaría de las órdenes oportunas para que sí te importara, por ejemplo, lo que ellos pensaran de ti, y tus neuronas recorrerían el complicado itinerario que regula las relaciones personales, el mundo de los afectos, las simpatías, o las envidias, las zancadillas. Porque también las emociones, los recuerdos, las expectativas y los sueños residen en el cerebro junto a las ideas y los pensamientos. Es tu mundo interior, insistía mi profesor, el que determina toda tu realidad.

Estas facturas que tengo que revisar, los arqueos que debo cerrar... en realidad no existen para mí porque no me dicen nada, no entran ni de lejos en mi mundo significativo, y se quedan sólo en la cáscara circunstancial de la secuencia horaria de mi jornada laboral, tan insulsa y anodina. Tampoco existen para mí Mellado, Ramírez, Quintana o Soto porque la "realidad exterior" es algo vacío, y ellos no son más que títeres sin médula ni sustancia.

Sólo el pensamiento de cada uno es capaz de sintetizar los principios de utilidad real en tu mundo significativo de ideas y emociones, acciones y reacciones. Sinapsis y sinopsis. Son las neuronas las que dirigen todo el cotarro, porque son ellas las que conforman tu realidad interior y se encargan de resumir el abanico de estímulos que dictarán tu comportamiento, limitándolos a un espacio asumible y abarcable para ti.

De pronto, como una interferencia desde mi mundo exterior, oigo la voz de trueno de mi jefe al tiempo que siento cómo sus manazas zarandean mis hombros:

—Carajo, Pérez. ¿Se puede saber en qué está usted pensando?

Al fondo, se carcajea todo el personal de la oficina, en la ignorancia más absoluta de que ellos, en realidad, no existen para mí.

Carlos Pérez Torres

La mancha en la pared

(25-12-2011)

(Con un guiño para V. Woolf, y otro para J. J. Millás)

La chica de la limpieza se acaba de marchar, y yo al fin puedo sentarme a descansar un rato después de tanto trajín. Le he agradecido mucho su ofrecimiento, pero sé que lo hace porque en el fondo les tiene un poco de lástima a los viejos como yo. La Nochebuena no es para pasarla con extraños, qué demonios, y a sus familiares yo no los conozco de nada. Prefiero quedarme solo en mi mundo; de todas maneras, ya estoy acostumbrado, y mis recuerdos ya me harán compañía. A mí no me asustan los fantasmas.

La ventana del salón está abierta, y además, he olvidado las gafas no sé dónde, pero me hago el remolón y me resisto a levantarme del sofá. No hace nada de frío y se está bien así, vagueando un poco y aplazándolo todo para luego. No llego a cerrar los ojos porque una mancha llama mi atención. Está en la pared que tengo a mi izquierda, cerca de la ventana. En la parte alta, casi llegando al techo. A esta distancia, y sin gafas, no distingo bien la forma, pero tiene una extensión considerable. No es una manchita insignificante, no. Me pregunto cómo es posible que la chica no la haya visto, aunque luego pienso que quizá quisiera dejarla para el final, por su situación difícilmente accesible, y luego la olvidara, con las prisas. Estos jovencitos van siempre con prisas.

Me extraña una mancha así en un sitio como ese. Y no es que yo sea el hombre más pulcro del mundo; al contrario, soy especialista en echarme las manchas más inexplicables en los lugares más insospechados, y todas mis prendas de vestir han pasado ya por semejante trance. La sustancia podría ser cualquier cosa pastosa o grasienta, quién sabe qué. El color es negro intenso. Pero me inquieta el lugar de la mancha. Qué gracia, el lugar de la mancha. Mira por dónde, este pensamiento me recuerda el comentario de la chica llamándome caba-

31

llero andante. Lo de 'caballero' por lo respetuoso que asegura que soy con ella, y lo de 'andante' por las caminatas que me pego diariamente por prescripción facultativa. Ella me lo repite de vez en cuando porque sabe que me hace gracia, y siempre termina diciendo que a ella le daría miedo vivir sola en una casa tan grande. Esa chica se pasa la vida asustándose por todo. Pero hay que vivir la vida sin miedo, como yo le digo.

Me fijo ahora en la forma exterior de la mancha, y se me figura la de una granada, ese artefacto con carga explosiva que aún recuerdo de las viejas fotos de la guerra. Aquella pequeña protuberancia que creo distinguir en la parte superior podría ser la espoleta. Eso sí que me daría miedo, una explosión inesperada, un cortocircuito, un accidente doméstico grave, un incendio. Pero todo eso es tan improbable que me repito a mí mismo que no vale la pena andar siempre asustado y temeroso.

Con tal de no levantarme, aunque ya recuerdo dónde dejé las gafas, entorno los ojos para intentar enfocar mejor, y ahora la mancha me parece un agujero negro. Pero nada de espacios exteriores ni nuevas dimensiones, no. Un agujero que el cotilla del vecino habría abierto a escondidas para espiar mis movimientos. Como en aquella temporada que me dio por pensar en que alguien me seguía por la calle. Todo aquello terminó cuando decidí que ya estaba bien de vivir acongojado, hipotecado, alienado, neutralizado. Que en este mundo, mientras te quede vida, hay que arriesgarse a vivirla sin asustarse nunca por nada. Siempre intento tener presente esta idea fundamental.

Empiezo a notar un poco de frío, y por fin me decido a levantarme. Al acercar la mano, la mancha de la pared resulta ser un moscardón, y me da un susto de muerte. Me trastabillo y caigo al suelo. Me duele mucho la cadera. Y a quién llamo yo ahora.

Un nuevo amigo

(16-01-2012)

Me fijé en que aquel mendigo llevaba puesto un jersey de lana gruesa de cuello vuelto como el que yo había comprado años atrás en una de las islas Aran, lo cual contrastaba en cierta medida con su raído pantalón y su modestísimo calzado, que no resultaban tan adecuados para enfrentarse, en la calle, a las temperaturas de enero.

Mi jersey era exactamente igual. Tenía un friso por los hombros y el pecho con un dibujo que imitaba el efecto del punto de cruz, y era ideal para combatir el frío. Lo había usado varios inviernos, pero un día me enganché la espalda con un saliente, y quedó un desperfecto tan evidente que acabé metiendo esa prenda, junto con otras, en una de aquellas bolsas que yo solía dejar en los contenedores de Madre Coraje para que las personas más necesitadas y menos escrupulosas pudieran usarlas de nuevo.

La primera vez que lo vi estaba sentado en el banco que hay frente a la cafetería donde suelo desayunar, hojeando uno de esos periódicos gratuitos que reparten por la calle. Su aspecto, algo desaseado, no le impedía conducirse con naturalidad, y el hombre sonreía abiertamente y charlaba con todo aquel que se le acercaba. En días sucesivos comprobé que estaba siempre por aquella zona, vestido siempre de la misma manera, y que empezaba a gozar de cierta popularidad entre los vecinos, que bromeaban con él y en ocasiones lo invitaban a café. A mí, en cambio, no se me acercaba nadie en el barrio, y todo el mundo parecía tenerme algún tipo de aversión, recelo o miedo, y hasta los camareros me trataban con excesiva distancia y frialdad, pese a que bajaba a diario para el rito del desayuno y el periódico.

No olvidaré la sensación que experimenté el día que se dio la vuelta, y vi con toda claridad el mismo roto en la lana, y a la misma altura del omóplato derecho. Comprendí que aquel jersey era el mismo que yo había tenido, y aunque nunca le dije nada para que no se sintiera humillado, una extraña fuerza me impulsó a acercarme a él con la excusa de alguna conversación banal.

Al cabo de unas semanas, acabamos entablando una curiosa relación de confianza mutua, y compartíamos alguna que otra confidencia, y muchas risas. Un día, al salir de la cafetería, rodeé sus hombros con mi brazo en un gesto amistoso y noté algo muy especial en el contacto. Fue como si algo eléctrico me hiciera darme cuenta de que no era él quien se beneficiaba de mi pretendida generosidad porque ahora podía usar algo que había sido mío, parte de mi cotidianidad, de mi vestuario. Al contrario, era yo quien tenía que sentirse agradecido porque ahora podía compartir con un nuevo amigo algo de lo que era característicamente suyo, su franqueza, su alegría.

Aquel contacto de mi brazo sobre mi antiguo abrigo fue un momento especial, pero el desencadenante, curiosamente, no fue ningún punto y aparte. No hubo un punto flexivo a partir del cual todo cambiará radicalmente. No era como el punto de ebullición o de fusión tras el cual un fenómeno físico cambiara de un estado a otro. Fue, sencillamente, una transición natural, y el único punto sin retorno fue el falso punto de cruz de un jersey de lana gruesa de cuello vuelto, que yo, una vez más, encontré ideal para volver a entrar en calor, después de tanto tiempo.

CC112

(26-01-12)

Aquella breve información de un teletipo fechado el once de enero de 2032 pasó desapercibida para casi todo el mundo, pero cuando yo la leí en mi ordenador de pulsera, la envié a la central de casa, y al llegar la colgué en el panel de anuncios de mi estudio. Después de un mes, sigue estando allí, y yo la miraba casi a diario porque sabía que algo no cuadraba en ese asunto. ¿Por qué no había antecedentes sobre esa persona? ¿Qué significaba que el único documento hallado en el cuerpo— en el bolsillo interior del chaquetón— fuera aquel texto enigmático, manuscrito y de buen estilo literario, que aparentemente era el comienzo de un relato? ¿Qué indicaba aquella serie de letras y números del título? ¿Por qué no se publicaron imágenes del difunto para que alguien pudiera intentar el reconocimiento y reclamar el cuerpo?

En la ciudad donde residía, todos lo conocían como "el Español", y decían que era misterioso y reservado. Tal vez algo desconfiado, como resentido. Siempre decía que él no tenía familia, y que nunca la había tenido. Ni siquiera en su trabajo conocían ni constaba en parte alguna su verdadero nombre. Se sabía que vivía solo en una casita bastante aislada y muy bien equipada (situada a unos 15 kilómetros del descampado donde apareció el cadáver), pero nadie había intimado con él ni se le recordaban amigos o amantes. Se supone que quisieron intentar con él un secuestro exprés, pero al no poder contactar con nadie de su pretendida familia española, le robaron cuanto llevaba encima y lo asesinaron a sangre fría.

Releía una y otra vez la noticia en el panel:

"En la localidad colombiana de Valledúpar ha aparecido el cuerpo sin vida de una persona indocumentada que, al parecer, residía allí de forma irregular desde hacía 20 años (...)".

Después de repasar las hemerotecas virtuales en los archivos informatizados de la comisaría central empecé a atar cabos. Veinte años atrás tuvo lugar la tragedia de aquel crucero junto a una isla italiana, y gracias a los afanosos trabajos de salvamento y búsqueda, fueron apareciendo todas las personas dadas por desaparecidas, excepto una: un joven español de 25 años a quien finalmente se dio por ahogado, pasando a engrosar la lista de víctimas.

Seguía releyendo la información del teletipo:

"Se le calculan entre 40 y 50 años (...)"

Pensé que todo encajaba con una increíble decisión, tal vez calculada o tal vez tomada espontáneamente, y aunque necesitaría probarlo y documentarlo todo, el texto escrito por "el Español" se aclaraba por fin ante mis ojos. Lo reproduzco a continuación:

"CC112

Tardé muy poco en alcanzar a nado la orilla. Me quedé un rato allí de pie, tiritando y mirando asombrado aquella mole que, en medio de la confusión, me parecía una enorme ballena varada en la trampa del rompeolas. Me aseguré de que la bolsa con el dinero seguía anudada en mi cuello, donde la alojé antes de saltar al agua. Ahora o nunca, pensé. Huir. Borrar mi pasado. Forjarme un futuro empezando desde cero. En otro continente. Después de un tiempo...". Y luego, una tachadura que dejaba el texto inacabado.

Mi intuición me ha fallado pocas veces. Pondré el caso en conocimiento de mis superiores, porque a partir de ahora, los trámites y los viajes necesarios generarán gastos y traerán complicaciones. La noticia del teletipo hablaba de *"oscuras metáforas"*, pero es fácil conjeturar que la enorme ballena varada no era sino el barco escorado y encallado. El accidente había ocurrido increíblemente cerca de la costa, y por eso, supuestamente, "el Español" alcanzaría la orilla con facilidad. Las claves del título abonan mi descubrimiento: C (Costa) C (Concordia) 1 (mes de enero) 12 (año 2012).

Sólo falta requerir por el cauce reglamentario los datos concretos de aquel suceso para desvelar los entresijos de una historia triste que comenzó hace ahora veinte años, y poner al fin su nombre y sus apellidos a nuestro protagonista involuntario: un hombre sin familia y sin ancla, que quiso un día borrar su pasado y a quien han acabado arrebatándole el futuro.

Imagen del naufragio del Costa Concordia.

Querido desconocido

(04-02-12)

Prácticamente todas las mañanas me cruzaba con don Alfonso de camino al trabajo. Nuestros horarios coincidían hasta tal punto que era raro el día en que no intercambiábamos nuestro saludo en el tramo del parquecillo que va desde la esquina del mesón (que era por donde yo aparecía) hasta el paso de peatones del semáforo nuevo. No más de cien metros, con el rumor del tráfico a un lado, y al otro, el trinar de los pájaros en sus ramas o nidos, saludando los primeros rayos de la mañana.

Al principio yo pensaba que el hombre me confundía con algún conocido, por la cordialidad con la que me lanzaba su 'buenos días'. Yo siempre le correspondía educadamente, y aunque en mi interior acabé preguntándome si no sería yo el que no le recordaba de alguna ocasión anterior, nunca le encontré encaje en ninguna parte.

Se le veía bien vestido y aseado, y se le adivinaba una persona muy metódica. Parecía llevar animosamente la carga de los setenta y pico años que yo le calculaba, y en efecto, cuando más adelante nos permitimos aderezar nuestro saludo con una breve pausa en nuestras trayectorias contrarias, y pasamos de añadir alguna frase retórica sobre las prisas o algún tópico al uso sobre el tiempo a intercambiar comentarios más personales, supe que él presumía de arrugas y de canas tanto como de malagueñismo, de integridad y, sobre todo, de hijos (dos) y de nietos (tres). También él tuvo acceso limitado y dosificado a ciertos datos generales sobre mi trabajo, mi familia o mis aficiones.

Pero un buen día, cuando ya la anécdota se había transformado en costumbre, y no habría resultado del todo antinatural dar un paso más allá provocando un encuentro breve en otro lugar u otro horario alrededor de un café, por ejemplo, don Alfonso desapareció de mis apresurados desplazamientos a pie, maletín en mano, de camino al trabajo. Me sorprendí a veces ralentizando el ritmo de mis propios pasos para darle tiempo a aparecer, pero no se dio el caso, y además tuve que abandonar ese recurso cuando se pusieron quisquillosos en la empresa con el tema de la puntualidad.

Lamentaba no haber aprovechado alguna de aquellas conversaciones minimalistas para atrapar algún dato concreto que me hubiera facilitado su localización: los apellidos, el domicilio, tal vez un número de teléfono o una dirección electrónica. Con todo eso en el aire, en aquellos días de ausencia se destaparon en forma de interrogante las cuestiones más básicas y elementales: dónde iría un jubilado como él, todos los días y a la misma hora, haciendo la misma ruta. Cuáles serían sus actividades o responsabilidades, por qué los madrugones. ¿Hablaría con más 'compañeros de cruce' como lo hacía conmigo, sin conocerlos previamente de nada, a modo de terapia improvisada o por consejo de su psicólogo, tal vez? ¿O sería yo el único, y ocuparía ahora sus pensamientos como él empezaba por momentos a invadir los míos?

Seriamente preocupado, me dio por revisar las necrológicas en el periódico diario, buscando a alguien llamado Alfonso que tuviera entre sus deudos dos hijos y tres nietos, y cuando la sensación de absurdo ya me invitaba a dejar tal práctica de una vez por todas, un lunes encontré una esquela que cumplía los requisitos.

El solo hecho de plantearme asistir al funeral, por si acaso, desaconsejaba la idea de discutirlo con mi mujer. Tuve que inventar una excusa para salir aquella tarde hacia el tanatorio, pero no me hizo falta llegar porque nada más salir del garaje, al bordear el parquecillo para enfilar por el camino más corto, me detuve en el semáforo nuevo y desde allí, en el lado de enfrente, me pareció verle en animada charla con un jovencito de apenas cinco o seis años a quien llevaba de la mano.

Para salir de dudas, como la luz y la distancia no me permitían ninguna certeza, bajé el cristal de la ventanilla y grité fuerte, al tiempo que intentaba ocultar mi rostro:

—¡Alfonso!

Ahora pienso que cualquiera podría haberse girado también ante un grito como aquel, y sin embargo yo decidí que sí, que aquella figura era la de mi hombre ejerciendo de abuelo, una ocupación nueva que presumiblemente habría alterado todas sus rutinas.

Nunca volví a ver a don Alfonso, y sin embargo dejé de buscar esquelas en el periódico. Curiosamente, después del mes que siguió a aquel grito liberador, me sentí muy tranquilo, y pienso que incluso en la empresa, si no fueran tan rácanos, podrían haberme felicitado por la mejoría en mi línea de rendimiento y productividad.

Pólvora de la mañana

(11-02-12)

A Hilario Bazán, por suerte o por desgracia, la vida se le puso por delante demasiado pronto. A sus diecinueve años, ya trabajaba duro en las faenas del campo para sacar adelante su casa. Su padre, postrado en cama con los pulmones encharcados desde hacía tiempo, aún le pedía pitillos a escondidas, y él tenía que sacar casta y pundonor, y cuidarle, y regañarle, y esforzarse cada minuto por no defraudarle nunca. Su madre y sus dos hermanitas lloraron y rieron a partes iguales cuando tuvo que marcharse al frente, pidiéndole que no se metiera en líos, y besándolo y diciéndole lo guapo que estaba con el uniforme de soldado y el pelo tan corto.

Por qué extraños vericuetos se fue enredando todo para que al final los vecinos de un mismo pueblo, los familiares y los amigos de siempre tuvieran que enfrentarse en duelos a muerte en medio de odios desatados y episodios de tanta crueldad, jamás quiso ni planteárselo. El hecho es que, temeroso por él mismo y horrorizado por todo lo demás, Hilario se había mantenido todos aquellos meses de pesadilla lejos del fragor de las trincheras, y nadie le echaba cuenta ni le exigía demasiado. Los soldados veteranos, hombres curtidos y rudos, incluso lo protegían y le pasaban de tapadillo alguna que otra de aquellas latas de sardinas o de espárragos que el negocio del estraperlo iba almacenando en una lóbrega trastienda cuyas llaves sólo manejaban los mandos intermedios.

A Hilario le daban escalofríos cada vez que tenía que cruzar por delante de los calabozos que habían instalado en el sótano. Sabía que tantas estampas de dolor contenido no eran sino un silencioso clamor de protesta por las tropelías y la barbarie de la guerra. Un día, volviendo de allí, el temible capitán Orellana se cruzó con él, y repentinamente lo designó como miembro del próximo pelotón de fusilamiento.

—Esta madrugada toca paseo, y ya es hora de que se estrene usted, soldado.

—Con el debido respeto, mi capitán —terció un sargento en su favor—. Es sólo un muchacho, y no creo que...

—No me haga decirle una palabra más alta que otra, sargento. No hay más que hablar. Esta noche Bazán acompañará a Ramírez y a Leiva.

—A sus órdenes, mi capitán —musitó el sargento, cuadrándose con desgana.

Cuando allí mismo, en la pared trasera del caserón que más se apartaba del camino, les taparon los ojos con una venda a los tres condenados, Hilario no oyó llantos ni gritos de súplica, y tanta resignada humillación le empezó a remover las tripas de un modo que jamás habría podido prever. Se rebelaba ante la idea de participar en el asesinato de personas cuyo único delito ni siquiera era defender otras ideas, sino simplemente vestir otro uniforme. Conocía de vista a uno de los tres, y sabía que era una persona sencilla y honesta.

En el momento en que el mismísimo capitán Orellana dio la orden de "¡Apunten!", Hilario decidió, como impulsado por la acción de un resorte automático, dar un paso atrás, y a la espalda de los otros dos soldados del pelotón, se giró un poco y dirigió el fusil hacia el capitán. El estupor invadió la madrugada, y nadie supo cómo reaccionar. A Hilario le temblaban las manos tanto como el resto del cuerpo, y la enorme tensión del minuto que siguió hizo que la autoridad en el grito inicial del capitán ("¿Qué demonios está usted haciendo, soldado?") se fuera tornando en seria preocupación ("Recapacite, Bazán; por nada del mundo se librará usted de un consejo de guerra. Un juicio sumarísimo, y a la cuneta"), y que finalmente, ante la obstinación de unos dedos temblorosos rondando el gatillo peligrosamente y una mirada terrorífica esculpida en una cara angelical, aflorara, entre amagos de sollozos, la indignidad de un cobarde asesino:

—Por favor, no dispare. Por favor, por favor.

El silencio permitió incluso oír el sonido líquido de la orina que le iba manchando al capitán el flamante pantalón, piernas abajo, y luego el estruendo de una detonación inesperada. Después de quedar tendido boca arriba con un agujero en mitad de la frente, la sangre de Hilario siguió manando con fuerza, como el chorro de una fuente, por espacio de unos segundos. Ramírez y Leiva, absolutamente desconcertados, hacía tiempo que habían bajado los fusiles, y tardaron en comprender que el disparo se había efectuado desde una ventana del caserón, en el primer piso. El capitán se había arrodillado y ocultaba su rostro entre las manos, más por la vergüenza propia que por el horror del desenlace. Los tres condenados aprovecharon para escapar en medio del aturdimiento general, y nadie hizo por dispararles ni perseguirlos en su huida.

Despuntaron las primeras luces del alba justo a tiempo de certificar que la tragedia, al menos, había servido para salvar momentáneamente a tres personas inocentes de un atropello injusto e irremediable. Conforme fueron pasando las horas y fue extendiéndose la noticia, quedó meridianamente claro que al bueno de Hilario Bazán, por desgracia, la muerte se le puso por delante demasiado pronto.

El zoo de la vida

(18-02-12)

Recuerdo que yo estaba convaleciente de sarampión y llegó la tita Bea especialmente para verme, y me trajo un regalo que me encantó. Era un libro de fauna animal con unas ilustraciones estupendas. Yo entonces era un chiquillo y buscaba la diversión en cualquier cosa, de modo que un comentario casual de mi madre dio pie a que el libro acabara convirtiéndose en una galería de fotos donde cabía todo el vecindario.

—¿Verdad que esa tortuga se parece a Herminia, la del cuarto?

Efectivamente, yo veía su cara de tortuga reflejada en la fotografía, y en otra página vi el perfil de Vicente el conserje en la silueta de un cuervo.

Hice partícipe a mi hermano de tales fantasías, y en seguida se convirtió en mi cómplice y me ayudó a seguir encontrando parecidos. Pronto teníamos catalogados a casi todos: la yegua y el pollito del 1° B (doña Julia y su hijo); el búho del 2° A (don Genaro); el bóxer del 3° B (don Ricardo) y el camello del 3° C (Juanmi); la tortuga del 4° D (la señora Herminia); y en su máximo esplendor, en una ilustración que ocupaba toda la página 100, con sus picaduras de viruela y sus ojos pequeños e hiperactivos, teníamos a don Abelardo el del 5° C con su cara y su piel de camaleón. En una vivienda del ático pasaba algunas temporadas la beata de doña Angustias, una mujer viuda, estilizada y delgadísima, con el pelo siempre tirante y recogido con un moño, que incluso se frotaba las manos como una mantis religiosa.

Mi hermano y yo estábamos familiarizados con eso de los motes de animales. En el colegio se burlaban de nosotros llamándonos "los dos gallitos", y tal vez por eso, para resarcirnos un poco, en casa andábamos haciendo bromas constantemente a costa de los vecinos, y soltábamos de pronto unas risotadas extemporáneas, en mitad de nuestros habituales susurros, cuando nos cruzábamos con alguien por los pasillos o ascensores, o al entrar y salir del bloque, aun a riesgo de que pensaran que estábamos chiflados.

Una vez mi padre tuvo una discusión acalorada con doña Julia por cuenta de las conductas impropias de su hijo, y aquella fui la única ocasión en que la oímos dar voces y vimos ponerse roja su cara de caballo. Yo dije que la yegua había relinchado bastante, y mi hermano remató la faena haciendo la observación de que el pollito, en cambio, no había dicho ni pío.

Don Ricardo era una clara excepción a esa norma en forma de leyenda urbana que asegura que los perros acaban pareciéndose a sus amos, porque el suyo era un perro salchicha escuchimizado que no tenía nada que ver con la impresión que daban su rostro y su corpulencia.

La más cotilla del bloque era la señora Herminia, pero como ella tenía justamente asignada la etiqueta de tortuga, el papel de chismoso se lo adjudicamos al camaleón de don Abelardo, que también tenía la lengua muy larga. Don Genaro el búho rondaba un poco a doña Angustias la mantis, y en esas largas temporadas en las que ella no estaba, dados sus motes, nos daba un miedo de risa pensar si no se la habría comido.

Con quien más hablábamos era con el desgarbado de Juanmi, que a veces nos daba uno de esos chicles que siempre estaba masticando como para demostrar las habilidades de su boca de rumiante. Con el paso de los años, cuando supimos que andaba trapicheando con drogas por el barrio, lamentamos un poco el lado profético que tuvo su mote de camello. Un lado profético que también se dio (lo supimos mucho más tarde) con Vicente el conserje —el cuervo—, que se despidió del trabajo después de tantos años sin mediar explicaciones, y tras robarles el dinero a sus padres, los dejó abandonados a su suerte en un asilo miserable, marchándose con rumbo desconocido.

Hoy sé muy bien por qué me acuerdo de todo aquello, ahora que acabo de volver de mi primer claustro, que ha resultado, por cierto, bastante aburrido. El comentario del Jefe de Estudios hablando del alumnado como "el ganado que tenemos aquí", esa forma de animalizar a las personas, es lo que me ha hecho recordar el tema del esperpento, que me sirvió para aprobar las Oposiciones el año pasado, y rememorar largamente aquellas bromas, travesuras y a veces profecías infantiles.

Mirando a quienes me rodeaban en la mesa, me entretuve no tanto en ir asignando papeles como en ir haciendo pronósticos, pues no me interesaban los aspectos superficiales como cuando niño. Por lo que decía cada uno, y por cómo lo decía, por sus gestos, por cómo actuaban, yo intentaba la disección moral de mis futuros compañeros, deseando que, como reza el proverbio, me engañaran las apariencias y las primeras impresiones. Pronto descubrí a Eulalia, la de Historia, en edad ya próxima a la jubilación, cursi, charlatana, con sus gafas en la punta de nariz: un loro auténtico; a Silvestre, el de Filosofía, con sus ademanes autoritarios y sus rugidos cada vez que se oponía a alguna propuesta: todo un león; a Pablo, el de Matemáticas, con sus ojillos huidizos y su forma de asentir a todo: un sumiso corderito.

Ya en "Ruegos y Preguntas", para mis adentros yo me preguntaba qué aspecto animal verían los demás en mí por mis rasgos físicos, y mentalmente les rogaba benevolencia, pero sobre todo me inquietaba imaginar qué fiera podría estar esperando dentro de mí, agazapada y silenciosa, para saltar en cualquier momento.

El pastor del rebaño no había dejado de insistir en el concepto del 'trabajo por competencias', pero yo no acababa de ver sustancia en tanta palabrería. Pienso que el mayor trabajo se centra en sobrevivir día a día, y que las competencias verdaderamente feroces están ahí fuera, en un terrario por el que sobrevuelan los buitres, y donde abundan los zorros, las arañas, las serpientes y los escorpiones, en el zoo de la vida.

La pintada del río

(25-02-12)

Para Carmen Rodríguez Acosta

El sambenito de minucioso no perseguía a César Lozano por casualidad. Quienes compartían sus actividades diarias se quejaban de su forma de ser exhaustivo en los detalles, obsesivamente perfeccionista, y cuando emprendía la escritura de una novela, o de un cuento incluso, el resultado final no siempre compensaba por lo tortuoso que resultaba generalmente el proceso de documentación y de construcción progresiva del relato.

Una mañana, caminando por el 'bulevar de los hoteles', como él lo llamaba, después de cruzar el Puente de los Alemanes sobre el Guadalmedina, atrajo su atención una pintada con grandes caracteres que alguien había estampado abajo, en el pavimento de la pasarela sobre el cauce del río. Bajó para presenciarla más de cerca, y quedó intrigado con el desesperado romanticismo de un anónimo escritor improvisado que recurre a un elemento urbano como soporte para una declaración de amor. Inmediatamente vio ahí tema para uno de sus relatos cortos: podría tener dosis de cierto misterio, procedimientos poco habituales, la suficiente intensidad. Con el móvil sacó una fotografía, y luego reemprendió su marcha sin poder quitarse ya el asunto de la cabeza en el resto del día.

Una vez en su casa, instaló la fotografía como fondo de pantalla y empezó a analizar la pintada a fondo. El mensaje era evidente, y ahí no se detuvo más que en los puntos suspensivos del final, pero la forma en que estaba plasmado le ofrecía un mundo de interrogantes, así que, con el invisible bisturí de su capacidad de observación fue diseccionando cada uno de los signos y caracteres para intentar descubrir, más que imaginar, algunos rasgos de la personalidad del autor o autora de la pintada.

Fiel a su convencimiento de que siempre había un motivo para todo, no paraba de preguntarse acerca de cada pequeño detalle, con la idea de proporcionar luego respuestas, en su texto de ficción, que resultaran creíbles y no incumplieran, por tanto, el dogma de la verosimilitud, el elemento que César cuidaba en sus trabajos literarios con mayor esmero. ¿Por qué, en medio del baile de letras mayúsculas, la única excepción de la letra 'e'? ¿Por qué la última E mayúscula (la excepción dentro de la excepción)? ¿Qué sentido tenía el enigmático paréntesis con el número ocho? Y sobre todo, ¿qué se ocultaba en ese final inconcluso?

Las primeras hipótesis y elucubraciones señalaban a un sujeto joven (por el ardor demostrado, el recurso utilizado, y ese uso irregular del signo de exclamación), de sexo femenino (César no se conformó con los trazos curvilíneos y el dibujo del corazón para llegar a esta conclusión, sino que además consultó en internet apuntes de grafología), y lo suficientemente culto como para hacer un uso correcto de las tildes, lo cual no era por desgracia muy frecuente entre los jovencitos y jovencitas grafiteros. El ocho podría referirse a las veces que el mencionado sujeto (o sea, la chica) le habría dicho al otro sujeto receptor de sus cuitas (presumiblemente un joven mozalbete) que lo amaba, o tal vez al número de encuentros íntimos que hubieran mantenido, y sin embargo César planeaba dotar en su relato a ese número ocho de un significado en clave, una especie de mensaje que sólo ellos dos compartieran privadamente.

Mediada aquella tarde, su esposa vio la foto de la pintada en el ordenador del estudio, y al leer el texto en voz alta surgió una discusión interesante. César la corrigió porque, según él, había leído mal el final: "Confía en mí", con un pronombre personal que, de ser tal, debería ir acentuado.

—¿Te das cuenta? Si la chica sabe usar bien las tildes, no es lógico que se equivoque al final.

—Entonces, ese "mi" tiene que ser un posesivo, y esos puntos suspensivos...

—... esconden un sustantivo que es la clave de todo— completó César la frase que había iniciado su mujer.

Hasta una semana más tarde no se descubrió el pastel. Habían preparado un menú especial para el almuerzo de aquel sábado, y César y su hermano discutían precisamente la historia del cuento— que ya había empezado a tomar forma en un primer borrador— mientras su mujer y su cuñada compartían la misma mesa pero no la misma conversación. Desde el estudio les llegó a todos la voz de Dani, que un momento antes le había pedido permiso a su tío César para entrar un rato en su Tuenti.

—¡Qué guay, tito ! ¿A ti también te gusta el reggaetón?

Resultó que la pintada del río reproducía el estribillo de un tema musical, machacón y bastante chabacano, que por lo visto había sido éxito el verano anterior. Dani buscó el vídeo de la canción en *YouTube,* y todas las decepciones de César se completaron ante las risas de su esposa y del resto de la familia. Un muchacho negro no paraba de tocarse la gorra mientras bailoteaba con gestos espasmódicos ante una mulatona de generoso escote que recibía sus requiebros con mucha sensualidad y ninguna dulzura.

El estribillo (que alcanzaba su punto álgido cuando el cantante chillaba "te amo", en medio de un bucle repetitivo que a César le pareció insoportable, hasta un total de ocho veces seguidas) terminaba, tras cada una de las tres estrofas, con una palabra distinta: ambisión, tesón e intuisión, por ese orden y pronunciadas así, con un rotundo seseo.

Meses después, cuando César volvió a ver a su sobrino Dani, éste le dijo que había ido un día al río, a la zona que le había indicado, pero que aquello estaba todo limpio, y que no había encontrado ninguna pintada. César, por piedad, le ocultó el dato de que había sido él quien había reclamado insistentemente al ayuntamiento la intervención de sus servicios operativos, y que había repetido la llamada y la queja (casualmente, un total de ocho veces), hasta que no tuvieron más remedio que hacerle caso.

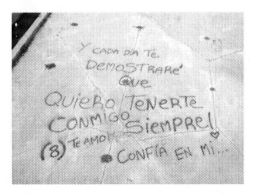

*Fotografía de la pintada aludida en el relato,
visible desde el Puente de la Trinidad, sobre el Guadalmedina.*

Al cabo de un tiempo

(03-03-12)

Pocas veces he visto en Ángela una reacción tan extraña. Por muy mal que le hubiera ido en alguna visita anterior, tampoco era para salir pitando de aquella manera al recordarlo, después de pasar más de cuarenta minutos esperando, digo yo. Al menos, como deferencia conmigo, ya que no me había importado acompañarla a la consulta en un momento difícil para ella.

Pero no. Ángela es muy suya, y aquel día, que había empezado con una actitud como indefensa y entregada, lo terminó en plan irónico y enigmático, y al final había que sacarle las palabras con sacacorchos. Hará un par de años y yo lo tenía ya completamente olvidado, pero hoy su comentario me lo ha traído a la memoria.

Fue ella quien decidió dejar de visitar a la doctora Recio. Desde que la vio, de lejos, un viernes de madrugada salir de un bar de ambiente y en actitud cariñosa con otra mujer más joven, decía que prefería cambiar de ginecólogo, aunque todos los demás eran hombres (los que figuraban en el cuadro médico de su compañía, claro). Buscaría a un hombre, decía con mucha gracia, siempre que tuviera un currículum lo suficientemente bueno, y un rostro lo suficientemente feo. Ella, que siempre decía que le daban miedo los hombres guapos.

Recuerdo mi primera visita a un ginecólogo, temblando del brazo de mi madre despacio por la acera de calle Mármoles, y luego el baile de San Vito en la sala de espera, con mis pies inquietos al ritmo regular que iban marcando mis rodillas juntas y apretadas. Por eso sé que no suele ser una experiencia muy grata, que digamos. Tal vez este doctor Gómez fuera su primer ginecólogo, quién sabe.

Me parece que reconoció su cara en la foto de la orla que había estado todo el rato encima de nuestras cabezas mientras hojeábamos números atrasados de 'Hola' y 'Lecturas'. Cansada de la espera y de susurrar conmigo fragmentos de un diálogo insustancial, se levantó y después de repasar los títulos enmarcados en las paredes, acabó buscando al Dr. Gómez entre los demás licenciados de su promoción. Algo cambió en su rostro cuando lo encontró allí, asociado a un nombre completo con sus dos apellidos, y un lugar de nacimiento. Incluso ayudó a levantarme, cogiéndome del brazo mientras se apresuraba a decirme bajito:

—Venga, que nos vamos de aquí.

Ante tanta determinación, vaya si la conozco bien, no valieron mis "pero qué dices", "si ya nos toca" o "no seas chiquilla", así que no insistí demasiado. Se abrieron las dos puertas al mismo tiempo: la que nos llevaba hasta el ascensor, y la que daba paso a la enfermera, que tal vez venía ya para llamarla.

—Pues yo no te acompaño a otro, que lo sepas —le dije yo, en un arrebato—. Eso que te pierdes.

—Él tampoco se pierde gran cosa —respondió una Ángela desangelada—. De todas formas, ya me había visto desnuda antes.

Por eso digo que estuvo enigmática. ¿A qué venía ese comentario? Me entretuve lo justo en explicarle que para un ginecólogo, ver a mujeres parcialmente desnudas es parte de su trabajo, y que no hay nada libidinoso en un comportamiento profesional, y le pregunté si es que acaso le había parecido especialmente guapo, o qué. Pero dejé los reproches y demás zarandajas, y me callé en seguida, porque no me escuchaba. Estaba como transportada a otro espacio y otro tiempo, en el limbo de unos pensamientos que no quiso compartir conmigo.

Sinceramente, creo que no había para tanto. Tampoco hay que dramatizar si una siente miedo de pronto por algún motivo. El pánico repentino paraliza a cualquiera, y en aquella tesitura, antes de lo del aborto, la comprendo muy bien.

Hace un rato, cuando se puso a ordenar la estantería, cayó en sus manos un álbum de fotos antiguas, y fue entonces cuando ella me hizo rememorar aquel episodio en la sala de espera de la consulta del doctor Gómez. Ante una imagen de grupo de sus tiempos del instituto, me señaló el rostro sonriente de alguien que estaba junto a ella, y, de nuevo con esa media sonrisa enigmática y burlona que reservaba para ocasiones especiales, me dijo:

—Mira, Luisa. ¿No se parece al doctor Gómez, el ginecólogo?

Me pareció una pregunta extraña y una actitud igualmente extraña. ¿Cómo pretendía que recordara yo aquella orla, en la que sólo había mirado una cara pequeña, en medio de una colección de caritas encorbatadas, durante un momento, y hacía tanto tiempo?

—¡Qué cosas tienes!— le dije sonriendo, mientras pretendía rescatarla de su ensimismamiento con un beso rápido, y le preguntaba qué le apetecía para cenar.

Ella siguió un rato sumergida en sus pensamientos, y al cabo de un tiempo, se asomó por la cocina y me dijo:

—¿Sabes? Eres la pareja ideal: solícita y cariñosa. Y además, no te enteras de nada.

Polvo enamorado

(26-03-12)

Antes de empezar la entrevista, Estela me preguntó si la recordaba de un curso en la Menéndez Pelayo el verano pasado, y así me enteré de que aquella mirada rendida no era sólo de admiración, como me dijo al principio, sino que, al parecer, me venía siguiendo por talleres, conferencias y presentaciones literarias, y que su tipo de hombre ideal no distaría mucho de la estampa que yo daba, de profesor despistado y desaliñado que increíblemente presentaba cierto atractivo, más intelectual que físico, ante una mujer joven y hermosa, recién licenciada y fuertemente letraherida.

Me dijo que leía y citaba mis artículos, y en el transcurso de la entrevista, que era —decía— para el periódico de la Facultad, se interesó especialmente por la curiosa iniciativa de reunir esta vez en un ciclo ponencias que versaran, cada una, no ya en torno a un poeta o una trayectoria, sino en torno a un poema en concreto; conferencias diseñadas con el objetivo único de amplificar la hondura de unos versos.

El sonido del fondo del agua de la ducha parece amortiguar este silencio culpable. No debería sentirme tan mal, después de todo. Los trámites de mi divorcio ya están en marcha, y no le debo explicaciones a nadie, aunque ahora me doy cuenta de que algunas de las explicaciones que le di a ella en mis respuestas las repetí en mi conferencia la tarde siguiente, y ella, sentada en primera fila, parecía agradecer con una leve sonrisa que yo se las hubiera desgranado antes, aunque fuera superficialmente, a modo de adelanto y a ella en exclusividad, como si se tratara de una primicia mundial. Recuerdo que al final levantó la mano para intervenir en el turno de preguntas, y me hizo insistir en la maestría de Quevedo a la hora de encadenar elementos significativos que aportaran trascendencia a un tema clásico como el de la pervivencia del amor más allá de la muerte.

Tal vez esta no sea la única historia turbia que se oculte entre las actas nunca escritas de unas jornadas como estas, y quién me asegura que muchos de los catedráticos que se desplazan, con gastos pagados y a todo lujo, no buscan distracción, como en otras convenciones, simposios o congresos internacionales, y no hacen ascos a la posibilidad de terminar con alguna mujer joven entre las sábanas, en una sórdida habitación de hotel. En realidad, las copas y la distensión general después de la clausura llevaron a una serie de excesos que la organización parecía incluso propiciar.

Mientras pienso estas cosas en la penumbra, la visión de su sujetador colgando del pomo de la puerta del baño me hace recordar sin rubor el fuego de nuestros cuerpos gloriosamente ardiendo un rato antes, y no sé qué voy a decirle cuando se abra la puerta y aparezca, despreocupada y radiante, hablándome en susurros. Dudo si pedirle que salga después que yo, si no le importa. Me daría vergüenza que alguien nos viera saliendo juntos.

—¡Qué error por su parte —aunque fuera en la noche de las copas y los excesos— decirme que estaba enamorada de mí! ¿Qué clase de enamoramiento caprichoso era ese? Desde luego, nada que ver con el sentimiento de amor del que hablaba Quevedo en aquel soneto. Ahora yo no sabría qué hacer si coincidiéramos en algún otro curso por ahí, por alguna universidad perdida, más perdida que yo, a solas con mis problemas de conciencia. Espero que este encuentro fugaz no deje ningún rastro en mi vida, aunque su nombre sea de los que dejan huella, y eso sí me parece un cumplido aceptable para el momento de la despedida.

Apareció por fin, envuelta en una toalla y mojando la moqueta con las gotas que resbalaban desde su pelo.

—¿Sabes?— me dijo —Tu título de 'Polvo enamorado' es sin duda el mejor posible para una charla sobre literatura.

En un acto reflejo, pensé que si la parte del 'amor' la había puesto ella, yo me adjudicaba solamente la parte del 'polvo'. Naturalmente, no se lo dije, y en silencio, me ajusté la corbata, me guardé con parsimonia, para que ella lo viera, la nota con su nombre y su teléfono, y fui de lo más escueto antes de escurrirme hacia el ascensor: sólo "gracias", y un último beso furtivo en los labios.

Pesadillas urbanas

(02-04-12)

Ya notaba yo muy raro a papá con el asunto de las pintadas. En sus rutas diarias no paraba de descubrir desde el coche nuevas pistas en cualquier esquina, en un lateral de un contenedor de ropa usada, en la parte trasera de un quiosco, en vallas, muros y fachadas. Eran dibujos sencillos, muñecotes de saurios que repetían siempre el mismo esquema: manos de cuatro dedos, cabeza y cuello a base de rayitas, siempre de perfil y siempre del mismo lado, y dos elementos muy destacados: el ojo y la lengua. Estaba realmente obsesionado, y llevaba siempre la cámara en la guantera para poder detener el coche un momento, donde y como fuera, y fotografiar cada nuevo ejemplo de los que se iba encontrando.

La primera vez que Alejo reparó en una pintada con caras de reptiles fue recién empezado este año, volviendo de la oficina una tarde. La vio en una esquina de la plaza Diego Vázquez Otero, muy cerca de su casa, y se quedó mirándola fijamente un buen rato, apreciando los detalles, los dientes, las escamas, la lengua bífida, la pupila vertical, el curioso modo de solucionar el dibujo de un cuerpo sin extremidades. Pensó que el rótulo *'Reptilian, 5'* daba a entender que habría más pintadas numeradas, por diferentes zonas de Málaga. Aquella noche tuvo una pesadilla con aquel bicho, un ser asqueroso y sibilino que andaba persiguiéndolo de esquina en esquina, y del que no sabía cómo librarse. Su esposa ni le hizo caso cuando se lo contaba en el desayuno.

Se veía claro que la primera pintada, la del rótulo con el número 5, no tenía nada que ver con los muñecos de colores que papá fue descubriendo luego. Estos tenían muchos menos detalles, y algunos aspectos bien diferenciados: la nula elaboración de las escamas, la ausencia de dientes, la presencia de brazos y manos humanoides, la dirección en el perfil contrario...; y, en fin, un trazo infantil que sí podría estar al alcance de sus posibilidades. (...) Mi hermano no paraba de darme la lata con lo de sus botes de pintura. Se tomaba en serio lo del Taller de Graffiti en la asociación de vecinos, y, como no sospechaba en absoluto de papá ni de mamá, según su lógica sólo podía ser yo quien le desordenara sus materiales. Podía usarlos si quería, pero me insistía en que se los pidiera. Incluso después del desenlace, cuando yo intentaba explicarle lo que tan inexplicable parecía a todas luces, todavía me miraba de lado, como si yo hubiera sido cómplice, al menos.

Alejo estaba convencido de que el autor de todos los dibujos era la misma persona, y que los lugares donde los estampaba eran elegidos aposta porque pretendían indicar algo. Desechó muy pronto la hipótesis de una tribu urbana, o un grupo organizado de rebeldes, indignados o *frikis*. Y hasta la noche de autos, la que acabó revelando un final increíble para la historia que alguien alguna vez acabará escribiendo, la hipótesis sobre la que andaba fantaseando se recogía en un curioso archivo, que guardaba en 'Mis documentos' con el título 'Fondo de reptiles', donde esbozaba a grandes rasgos una historia policiaca en la que el héroe encontraba un modo artístico y muy original de delatar a los culpables.

Claro que a toro pasado, parece muy fácil ir atando cabos. Todos sabíamos —porque la abuela nos lo contaba al hablarnos de papá cuando era niño— que los lagartos le provocaban un miedo irracional, y que con las cochinitas y los escarabajos y todos los insectos del campo se atrevía y curioseaba, pero era aparecer una lagartija, y empezar a chillar y a llorar era todo uno. Además, ahora todos hemos tenido que empollarnos con urgencia el abecé del sonambulismo, y comprendemos mejor esta conexión, por muy perdida en su pasado que estuviera. (...) Y qué casualidad que todas las pintadas señalaran, como en un rosario, las cuentas de sus itinerarios más personales: en calle San Jorge, junto a la casa de sus padres; en la Calzada de la Trinidad, junto a la de sus suegros (mis otros abuelos); en la Avenida de Andalucía, cerca de su puesto de trabajo; en un pasaje del sector de Carranque, frente al colegio donde mamá trabajó un montón de años; en Obispo Herrera Oria, la arteria principal del barrio; en calle Capitán Marcos García, no lejos del bar de sus tertulias y sus encuentros con los amigos; y en la Plaza de La Merced, el escenario idealizado de sus encuentros románticos antes, y sus noches de botellón luego.

Cuando despertó bruscamente, aturdido por el golpe primero y por el zarandeo después, sentado en medio del pasillo y en mitad de la madrugada, los botes aún rodando por el suelo y sus hijos, alarmados por el estruendo, quitándose aún las legañas, Alejo dice que sólo recuerda los ojos grandes y redondos de su esposa que le interrogaban mudamente, al tiempo que intentaban posarse en algún punto de penumbra equidistante entre el auxilio y el reproche.

*Pintadas de la serie 'Reptilians' fotografiadas en octubre de 2012
(en calle Callejones del Perchel –arriba– , y en Avda. de Andalucía –abajo–).
Autor: Varo (¿?).*

La última raya del mapa

(08-04-12)

(En memoria de mi padre)

A la edad que uno va teniendo, la verdad, las pocas veces que hojeo un periódico voy derecho a la página de necrológicas. A ver, el tiempo no pasa en balde y algunos amigos y conocidos nos van dejando solos poco a poco.

El otro día, el Viernes Santo era, me parece, me topé con la esquela de don Enrique, aquel maestro de bigotito fino y andares inquietos que allá por el año 1968, si no recuerdo mal, tuvo en su clase a mi hijo David. Lo relacioné en seguida porque él también era pintor, y en los cuadros firmaba con sus apellidos. Desde entonces tengo enmarcada en el pasillo una plumilla que me regaló.

Tocaba estudiar en el colegio nuestra región andaluza un poco más a fondo, y habían organizado una jornada especial con una charla en el salón de actos-capilla, bailes folklóricos, productos gastronómicos y una exposición de fotografías y documentos. Y precisamente para contribuir a ilustrar esa exposición, don Enrique y otro maestro que también dibujaba muy bien —don Félix me dijo David que se llamaba— se habían repartido las ocho provincias. Como entre las cuatro que le tocaron a don Enrique estaba Málaga, tuvo el hombre el detalle de sacar copias de esa plumilla para dárselas como recuerdo a todos los padres de sus alumnos. Ahora la estoy mirando, y me sigue encantando la perspectiva de la calle Salinas con la torre de la Catedral al fondo.

Llamé a David y se puso triste cuando se lo dije. Esa misma tarde vino a visitarme y me confesó que don Enrique siempre había sido su maestro preferido. Trajo con él una foto que se hicieron juntos en el acto de clausura de aquel curso del 68/69, y me contó una historia que llegó a conmoverme.

Por aquel entonces mi chiquillo era muy niño todavía, y no entendía los mapas; no llegaba a comprender cómo la vasta realidad, llena de casas, carreteras, personas, pueblos, ríos y campo podía encerrarse o siquiera representarse en aquellos planos gigantescos que colgaban de las paredes del aula, desplegando unas veces sus formas y colores, y permaneciendo otras veces enrollados junto a los armarios, o encima de la pizarra que don Enrique siempre rotulaba tan artísticamente usando tizas de colores, con la fecha y una máxima o lema con el que empezar las reflexiones y las enseñanzas del día.

Una tarde, al terminar la hora de 'las permanencias' con las que los maestros se ganaban un dinerillo suplementario con clases vespertinas, David se acercó para preguntarle a don Enrique una última duda.

—Entonces, ¿dónde estamos nosotros, don Enrique?

—Málaga está aquí, ¿ves el nombre? —le respondió, señalando el punto correspondiente del sur—. Nosotros estamos en la última raya del mapa, y por eso podemos ver el mar.

Cogió una de las láminas del mapa físico de España, y tomando a mi hijo de la mano, me asegura que lo condujo por entre los tornos de los pescadores y las barcas que descansaban paralelas sobre la arena y bajo la luz de la tarde, hasta la mismísima orilla, donde le pidió que se quitara las humildes alpargatas que llevaba, y él mismo se descalzó de sus zapatos y se quitó los calcetines. Y así, el maestro con sus pantalones remangados y el alumno con sus pantalones cortos, anduvieron un trecho por las playas de El Palo, mojándose los pies en la espuma mientras continuaban el diálogo interrumpido un rato antes. David acabó relacionando el mar con la extensión azul de los mapas, y me figuro que fue entonces cuando empezó a gustarle de verdad la Geografía, que siempre dice que era su asignatura favorita.

Muy contento y parlanchín aquella tarde —me acordaba bien cuando David me lo iba refiriendo, porque en principio yo pensé, orgulloso, que aquello tan poético había salido de su cabeza— me explicó al llegar a casa que los pueblos del interior no tienen la suerte de ver el mar porque están muy lejos de la última raya del mapa.

Le enseñé a David la página donde venía la esquela de don Enrique, y los dos supimos que a él le había tocado ya cruzar la última raya del mapa de su vida, Dios lo tenga en su gloria, y los dos nos servimos en silencio un vaso de vino para desearle que tuviera buen viaje, y que al llegar donde fuera, pudiera descansar en paz para siempre.

Calle Salinas (plumilla de Pérez Almeda).

Por mi culpa

(24-04-12)

Cuando leía o escuchaba decir que el sector de la prensa escrita estaba en una profunda crisis y que cada vez se vendían menos ejemplares, me entraba cierto desasosiego que intentaba aliviar comprando el periódico de vez en cuando. Pensaba que si otros ciudadanos tenían la misma conciencia responsable que yo y actuaban en consecuencia, podríamos salvar entre todos bastantes puestos de trabajo.

Pero después de hojear los periódicos por encima —saltándome determinadas secciones a las que nunca había hecho el más mínimo caso— terminaba aburrido, me sentía un poco vacío, y, dispuesto a dejarlos olvidados en cualquier lado sin ningún remordimiento, corría a lavarme las manos para desprenderme de los restos de tinta como el que purga su alma y pasa a una nueva fase sin solución de continuidad.

No sé por qué, aquel día decidí darle una segunda oportunidad al periódico y quise bucear un poco en alguna de esas secciones ignoradas por las que jamás me había aventurado. Cada vez notaba más la soledad en el hogar, y tenía demasiado tiempo por delante sin nada que hacer. Mi esposa, más y más distante últimamente, estaba en la ducha en ese momento, y mi hijo, envuelto en su pequeño mundo egoísta y en sus planes para el futuro, había salido a media mañana para pasar el día con su novia, como hacía invariablemente todos los fines de semana, y volvería ya tarde.

Rechacé las páginas de bolsa y economía con más rapidez que las de pasatiempos, pero al final opté por esas ofertas clasificadas donde lo mismo se anuncian apartamentos que academias, o señoritas de compañía. Me pareció que componían un mundo heterogéneo, y a priori yo las imaginaba más pegadas a la vida real de las personas. Pronto tuve la sensación, sin embargo, de que el lenguaje utilizado en esos anuncios por palabras era frío y estereotipado. Yo quería detectar alguna emoción entre aquellas líneas que convivían en compartimen-

61

tos estancos, ignorantes cada uno de las miserias contenidas en cada otro, aunque fueran vecinos de página o de columna. Me quedé con los tres anuncios que más llamaron mi atención y establecí con ellos un podio imaginario.

En el tercer lugar situé uno del apartado 'Servicios' que decía: *"Fontanero rápido y económico. A cualquier hora del día, incluidos festivos. Con o sin factura".* Aprecié la necesidad y la desesperación subyacentes, incluso el riesgo, y estuve a punto de anotar el teléfono que venía a continuación, porque podía resultar útil en alguna emergencia futura.

Para el segundo lugar seleccioné del eufemístico sector de 'Ocio', el único anuncio que me pareció original: *"Joven y ardiente. Morenita desobediente o rubia disciplinada, según los casos".* En ningún otro del tipo *saunas, brasileñas o maduritas liberales* había encontrado tal muestra de pragmatismo y versatilidad. Daban ganas de impostar la voz y marcar ese número para preguntar si la chica en cuestión no tendría también disponible alguna variante pelirroja, y en caso afirmativo, con qué adjetivo.

Pero el único que me hizo reír de buena gana era el que ocupaba con todo merecimiento el primer escalón, una sentencia curiosa, a medias entre la resignación y la guasa por una parte, y el despecho y la urgencia por otra. La rescaté del apartado 'Viviendas', y rezaba escuetamente. *"Novios peleados venden a la bulla",* y luego dos números de teléfono móvil.

Mi mujer salió del baño bufando porque otra vez estaba atascado el sumidero del plato de la ducha. Yo me sentí un poco culpable porque siempre empujaba allí los pelos residuales sin preocuparme por posibles tapones.

—¿Quieres que me ocupe, cariño? — le pregunté, por decir algo.

—¡Anda, anda!— musitó por toda respuesta, con tono displicente y sin fe en mis habilidades.

—Tengo el número de un fontanero rápido y económico— argumenté, por si acaso.

En estas, sonó el timbre, y cuando abrí la puerta me encontré con la mirada sinvergonzona de la hija de la vecina de al lado. Esa chica tiene unos labios sensuales y una mirada pícara que me desconcierta, y creo que ella se da cuenta (a saber si no interpreta mi azoramiento como una provocación). Me estaba pidiendo un poco de sal cuando apareció mi mujer ciñéndose el cinturón de la bata y percatándose en seguida de algo que a mí se me había pasado por alto.

—¿Otra vez te has teñido el pelo?

Con todo, no acabé de ir relacionando los hechos hasta que al caer la tarde oímos el sonido de unas llaves en la puerta, y luego un portazo considerable. Yo permanecí sentado en el sofá, pero mi mujer se levantó como un resorte:

—¿Qué te pasa, hijo?

—Que he discutido con Pili.

Yo me comporté como un mal padre porque en lugar de intentar contribuir a apagar un fuego que se había iniciado por mi culpa, me refugié en mis pensamientos para preguntarme por qué demonios no me centraría en la página de deportes, como siempre.

Lo siento mucho por los periodistas y sus puestos de trabajo, pero he decidido no volver a comprar un periódico.

Gracias a una tal Susana

(12-05-12)

De Susana no recuerdo muchos datos, la verdad. Susana Sparwasser, o Susanna, o Suzanne, o como demonios se diga en alemán. Rubia, de boca grande y con muchas pecas alrededor de la nariz y por debajo de los ojos. Hija única, de diecinueve años entonces, un cuerpo generoso y una belleza indefinible, además de unas costumbres demasiado liberales para la época. La primera vez que la vi, yo le eché veintitrés o veinticuatro, y recuerdo que me pareció observar una primera mirada de complicidad. Hablaba Español correctamente —su madre era natural de Humilladero— aunque con un acento duro. Por parte de padre, su familia era originaria de Colonia (de eso me acuerdo bien porque ella, con mucha gracia, siempre decía que llevaba los genes en el perfume). Ahora debe andar por los cuarenta y pico.

Al cabo de algunos meses, encontré la argucia definitiva para facilitar aquellos primeros contactos nuestros, bastante inocentes a pesar de lo que pensábamos entonces: los domingos por la mañana, su madre, una mujer blanda y silenciosa que pasaba algunas estrecheces económicas desde que había enviudado de aquel gigantón alemán que conoció en los años de la emigración, iba a servir y a limpiar a una casa lejana, y dejaba a Susana al cuidado del hogar con el encargo de limpiar el polvo, barrer y ordenarlo todo. Dada esta circunstancia, y aprovechando la afición de mis padres por las películas, y los desvelos que continuamente demostraban por satisfacer cualquier capricho de su hijo menor y más querido, yo inicié con mi hermanito la ardua tarea de irle inculcando una incipiente afición por el cine.

Resulta que en el cine Albéniz, no lejos de nuestra casa en calle Álamos, era donde daban las funciones matinales, con películas cómicas o infantiles en muchos casos, que seguro que a él le gustarían. Yo le hablaba entonces de los actores y las actrices, los temas más maravillosos, las luces y las magias del celuloide que hacían aparecer de la nada los paisajes, los vestidos, los rostros más bellos. Después, todo fue fácil: cada vez que el mimado de mi hermanito presionaba para que mis padres lo llevaran a ver la película de 'la matinal', yo me hacía el sufrido y tranquilizaba su conciencia diciendo que no me importaba estar un rato solo, y que así aprovechaba para estudiar para el examen del lunes.

El margen de seguridad que esta ausencia nos proporcionaba era de unas dos horas, o incluso más si se trataba de algún programa doble o algún pase especial. Con sólo cruzar discretamente el pasillo, en aquellos encuentros furtivos yo accedía a los ojos, los labios, los brazos, las cremalleras, la risa y los cigarrillos de Susana, quien se dejaba hacer, sin perder del todo la distancia ni la compostura. Su mudanza y su alejamiento definitivo llegaron demasiado pronto, cuando apenas se esbozaba la posibilidad de experiencias más profundas o de sentimientos más auténticos.

A lo largo de los dos o tres meses que calculo yo que duraría aquello, mis padres nunca notaron nada extraño a su regreso, ni jamás preguntaron por la rara costumbre de mis profesores de poner exámenes todos los lunes. Después, Susana volvió con su madre a Alemania, el tiempo fue pasando, y Luis —quién lo diría— fue cimentando una sólida afición al cine y a sus posibilidades como lenguaje artístico. Sus primeros reconocimientos profesionales le llegaron por esta vía, cuando llegó a ser un joven periodista, bien considerado en diferentes medios, y en todos los círculos de crítica cinematográfica de la ciudad.

Sin duda, esta era ya una primera paradoja: todo comenzó a causa de una muchacha que, siendo él solo un niño, había compartido fugazmente con nosotros el entresuelo, y a la que, naturalmente, ni siquiera recordaba. Si ella no se hubiera cruzado por mi vida, ahora mi hermano sería una persona anónima, tal vez algún abogado gris, o el encargado de algún departamento comercial, pero no una celebridad instalada en la cima de la popularidad que gana un pastón con los derechos de autor y las conferencias. Porque lo que de verdad resulta irónico es que fuera yo mismo quien tuvo un día la maldita iniciativa de contarle el curioso proceso que tuvo que seguirse para que él empezara a frecuentar sus primeras salas de cine. Se mostró tan sorprendido y tan agradecido por la confidencia que solo a partir de entonces empezó a gestar como proyecto lo que acabó siendo el mayor éxito editorial del año: ese libro titulado "Gracias a una tal Susana", que fascinó a todo el mundo con su estilo fresco y directo, a medio camino entre la fabulación y la autobiografía.

Golpeado por la evidencia de que mi hermano, en contra de lo que los hechos parecían indicar, sacó de ella, a fin de cuentas, mucho más provecho que yo, me pregunto qué recuerdo tendrá de mí Susana a estas alturas. Para colmo, nadie de la familia me advirtió de nada, y tuve que enterarme por el periódico —y cito textualmente— de *"la próxima adaptación a la pantalla grande del best-seller 'Gracias a una tal Susana', cuyo autor, el conocido crítico cinematográfico Luis Casasola..."*, etcétera, etcétera.

Si por alguna otra jugarreta del azar Susana se enterara de esto, supongo que querría verse en la pantalla, así que tal vez volvería e intentaría localizarme. Si consiguiera encontrarme, por supuesto que yo disfrutaría llevándola al estreno tanto como viendo en la cara de mi hermano los matices de la sorpresa o de la envidia.

Cataratas

(03-06-12)

Siempre que el niño se ponía a hacer los deberes del colegio, Pepita se le acercaba, curiosa y preguntona, y él, divertido al principio, le iba explicando las cosas muy en plan de hermano mayor, hasta que acababa impacientándose.

—Son palabras que tengo que buscar en el diccionario para apuntar su definición. ¿Ves? Son todas de cuatro sílabas, y la única vocal que sale es la a —le dijo a su hermanita, que lo miraba con sus ojos grandes bien abiertos.

Pepita no entendía esa terminología, pero le había escuchado leer la lista después de asomarse a su libreta, y sólo parecía interesada en una de aquellas palabras enigmáticas y sonoras.

—Tú también tienes que aprender a no equivocarte con el significado de las palabras —añadió, orgulloso de que alguien le hiciera tanto caso.

Al día siguiente, en su clase de Educación Infantil, Pepita sorprendió a su maestra con una pregunta directa y muy diferente a las habituales:

—¿Qué son las cataratas, seño?

La maestra frunció el ceño del mismo modo en que la abuela empezaba sus inconsolables episodios de un llanto silencioso y abundante que nadie comprendía que durara ya tanto tiempo.

Después de haber soportado sin mucho interés las explicaciones relativas a qué tipo de animal era una salamandra, o de calzado una alpargata, o de danza una zarabanda, o de planta una albahaca, Pepita había empezado a inquietarse. Con 'almadraba' y 'almazara' se confundió un poco, y sólo esperaba ya que por fin le llegara el turno a aquella palabra que ella siempre había oído asociada a algún tipo de problema en los ojos de su abuela.

Justo cuando iba a llegar el momento, se presentaron en la casa los amigos de su hermano con el balón de reglamento, y los ejercicios de Lengua quedaron interrumpidos hasta después del partido.

—¿Qué son las cataratas, seño?

La maestra frunció el ceño, sorprendida por la pregunta, y luego se agachó junto a la niña para enmarcar entre las manos su carita redonda, y le dijo con dulzura:

—Las cataratas son unos lugares por donde cae mucha agua. ¿Has visto alguna en la tele?

—No, pero mi abuela tiene.

Al entrar en la casa de regreso del colegio, Pepita se soltó de la mano de su hermano y corrió para acercarse a su abuela, que siempre estaba callada y triste en su rincón junto a la ventana. No le dijo nada; sólo la miró a los ojos y luego le dio un abrazo. La abuela notó que el sentimiento se le desbordaba, y al brotarle las lágrimas fue como si quisiera recompensar a su nieta con una demostración, para ella exclusivamente, de las cataratas que tenía escondidas en sus ojos.

Habitación de hotel (Nueva York, 1931)

(21-06-12)

(Basado en el cuadro de Edward Hopper)

Nada más cruzar la acristalada puerta giratoria del hotel y acceder al enorme *hall*, silencioso y decadente a aquella hora del mediodía, Linda Harper tuvo la intuición de que algo no marcharía como ella y Philip habían planeado. Los horarios, los argumentos que habría que dar luego, el registro a nombre de Sr. y Sra. Hathaway, la combinación ideal de trenes..., todo estaba calculado, y todo empezó a desmoronarse cuando al llegar al mostrador de recepción aquel hombre de acento tan gris y anodino como su uniforme respondió a su saludo diciéndole:

—Buenos días, señora Hathaway. Su marido llegó a primera hora, y poco después tuvo que marcharse. Dijo que usted lo entendería todo al leer esta carta.

El leve bullicio que latía alrededor pareció detenerse también cuando ella, de forma mecánica, recogió el sobre y perseveró en su silencio, ante lo cual el recepcionista añadió:

—Ha dejado pagada la habitación para todo el fin de semana, así que instálese con comodidad, disfrute de nuestras instalaciones y llámenos para cualquier cosa que necesite. Por cierto, la temporada de piscina acaba de comenzar.

Linda proyectó un lacónico 'gracias' que no pudo llegar a pronunciar sin despegar siquiera los labios, y tal vez lo transmitió tan sólo con una lenta caída de pestañas y un ligero movimiento de cuello que acercó su mentón a la estola de su elegante vestido.

La habitación era amplia, pero bastante impersonal, sin demasiadas comodidades y ningún lujo. El enorme caudal de luz procedente del exterior dominaba el espacio, y asomaba la intimidad del reducto a la grandiosidad de los iconos de Nueva York que se escondían tras el cortinaje blanco y remarcaban la quietud del momento como si no fueran más que un recurso teatral que esperaba tras el telón, un decorado para el drama que empezaba a masticarse.

Linda dejó sus bolsas en el suelo y la carta sobre la cama, sin abrir, y salió precipitadamente para refugiarse en la calle como una autómata, aturdida entre presagios y sentimientos de despecho y nuevas decepciones. Días atrás, él había logrado hacerle creer que esta vez abandonaría por fin a su esposa; ella lo había notado más decidido, más cariñoso, o tal vez más desesperado, preparado por fin para afrontar las consecuencias de un choque entre sus circunstancias y sus afectos. Creyó de verdad que aunque ambos fueran víctimas de la incomprensión y el rechazo social, también tenían derecho a la felicidad.

Ahora, en cambio, mientras doblaba la esquina entre la 33 y Madison, ella jugaba a adivinar las torpes excusas que Philip habría desgranado, como clichés tantas veces repetidos, entre los garabatos de tinta de su estilográfica: las apariencias, los hijos, el trabajo.

Decidió que no abriría la carta hasta que estuviera de vuelta en su casa de Rhode Island. El calor apretaba, y de pronto le apeteció sumergir su melancolía en la piscina del hotel, así que regresó, subió a su habitación y se descalzó de sus tacones nada más cerrarse la puerta. Se desnudó sin prisas y luego se probó el bañador naranja que colgaba, junto al albornoz, de la puerta del aseo. Revisó sin mucho interés los estantes del baño y los armarios y cajones de la habitación, y después de guardar la carta de Philip en un compartimento exterior de su bolsa, encontró un pequeño ejemplar de la Biblia en la mesilla de noche y se detuvo un momento para hojearlo. Casualmente, el primer pasaje donde fijó la vista hablaba de la infidelidad, y fue entonces cuando Linda experimentó una sensación de *déjà vu* que la dejó paralizada, sintiendo que, además de incomprendida, había sido engañada y abandonada muchas otras veces.

Poco después, consultando de nuevo la hoja con los horarios de trenes para enlazar con el ferry de vuelta a casa, de pronto, y sólo por un momento, el aire impersonal de aquella fría habitación cobró cierto calor familiar, y aquella estampa que su figura componía sentada en la cama y ligeramente encorvada sobre la hoja informativa, embutida en aquel ridículo bañador y resignada ante la lentitud del paso del tiempo, quedó fijada como en un instante para la eternidad que se debiera a la voluntad de alguien ajeno, alguien desconocido que pretendiera —nada más y nada menos— magnificar la insignificancia y la trivialidad de un momento de estricta soledad y desamparo perdido entre las circunvoluciones de la vida en la metrópoli, y atrapado de pronto, y para siempre, entre los límites de una fría e impersonal habitación de hotel.

Reproducción de 'Habitación de hotel' (Edward Hopper, 1931).

Primer plano, segundo plano

(18-07-12)

El pase era a las siete, y nada más llegar ellos, apagaron las luces de la sala y empezó la proyección. Apenas veinte personas en el público, y el aire acondicionado demasiado alto. Varios cortos consecutivos, rodados con mínimo presupuesto y con actores no profesionales. Supuestamente, cine experimental: uno de aquellos cortos sería premiado al final de la semana.

Ella parecía más interesada que él en seguir las diferentes tramas con cierto espíritu competitivo o sentido crítico. Al salir, ella sí era capaz de sintetizar o evaluar cada una de las obras, y de hecho lo intentó en la frugal cena que hicieron en uno de los bares de la calle Alcazabilla. Sin embargo, la charla no fue muy animada, precisamente, porque a él le había ocurrido algo inesperado y realmente no podía recordar aspectos esenciales para una discusión con cierto criterio. Justo al comienzo del primer corto, un primer plano del rostro de la actriz principal lo había dejado absolutamente fuera de juego. La sensación de que conocía a aquella mujer era punzante, y según avanzaban los minutos sin que él pudiera encajarla en ningún contexto ni asignarle un nombre, se fue haciendo casi dolorosa.

Mientras su acompañante seguía en silencio las proyecciones, él se obstinaba en repasar sus grupos de amigos, el personal de la oficina, la sociedad de excursionistas, el clan del Cine-Club, sus andanzas de otras vacaciones, e incluso las galerías de rostros anclados en un pasado estudiantil que ya creía definitivamente olvidado. Se quedó colgado de esa obsesión y abandonó del todo las sucesivas películas que sus ojos ausentes iban acariciando sin registrar nada. Era como si de pronto hubiera que dilucidar una cuestión de alcance internacional, trascendental para la humanidad, y todo lo demás quedara instalado y oscurecido en un segundo plano: ¿dónde había visto él —y estaba seguro que más de una vez— aquel rostro sereno, aquellos ojos expresivos, el flequillo y la melena levemente rizados, la insinuación de los hoyuelos en aquella sonrisa encantadora, y las marcas de incipientes arrugas rondando tal vez los cuarenta?

De vuelta a casa, ella le reprochaba su actitud durante toda la velada, taciturno y monosilábico, casi huraño. Con todo, él prefería guardarse para sí las razones de su distancia, y ensayaba excusas banales, añadiendo, eso sí, algunas sílabas en sus respuestas estereotipadas. Desde luego, no podía imaginar el tremendo choque que le esperaba al abrirse las puertas del ascensor, ni estaba preparado para reacción alguna. Se toparon con la vecina del B, que esperaba con una bolsa de basura, y en el saludo de buenas noches se cruzaron las sonrisas. A él le pareció que, en el caso de la vecina, la insinuación de los hoyuelos y el brillo chispeante de sus ojos expresivos iban claramente dedicados a él.

Nada más entrar, como quien no quiere la cosa, él formuló su pregunta en un tono lo más neutro posible:

—¿No se parece la vecina a la actriz principal del primer corto?

—Pues ahora que lo dices, sí que le da un aire. Pero vamos, ya quisiera la vecina— dijo ella, añadiendo tras una pausa—. Por cierto, el primer corto me pareció sin duda el mejor de todos. Creo que merece el premio, y además el tema es más intemporal, y mucho menos evidente.

—¿Cuál dirías que es el tema?

—La incomunicación en la vida moderna.

Ese alguien

(10-08-12)

Adela vio reflejado en el espejo de 'La Boutique del Pan' el rostro de aquel hombre detrás de ella, apostado junto a la puerta y como asomándose tímidamente al interior. Le pareció reconocer en él a la misma persona que había visto unos minutos antes, cuando cruzó a Duque de Rivas desde Ollerías, mirándola de reojo desde la parada de taxis, a cierta distancia. De pronto sintió una vaga sensación de preocupación, casi de miedo, pero después de pagar, el hombre ya no estaba por ninguna parte, y ella pensó si no serían imaginaciones suyas, y se juró que nunca más vería películas de psicópatas asesinos.

Sin embargo, a lo largo de los días siguientes, la figura callada del hombre que parecía perseguirla o espiarla, manteniendo siempre la distancia y el misterio, apareció a fogonazos, esporádicamente, por las calles del Molinillo, donde Adela se ocupaba muchas mañanas de comprar lo que su madre le dejaba escrito en una nota. Después se olvidaba del asunto durante sus clases de tarde en la Facultad, pero volvían las preocupaciones a la hora del sueño, cuando tenía que irse a la cama sin poder compartir esos temas tan acuciantes con su madre, una mujer difícil de trato, siempre irascible y con escasa capacidad de comunicación con su única hija, y única compañía desde hacía más de veinte años.

En las primeras pesadillas Adela veía a aquel hombre cuarentón en camiseta de tirantes, con el rostro lleno de cicatrices y el pecho y la espalda llenos de tatuajes, persiguiéndola abiertamente, corriendo tras ella con la intención de atacarla o secuestrarla empuñando pistolas o cuchillos, y se despertaba sobresaltada y empapada en sudor. Pero al cabo de una semana aproximadamente algo se iluminó en su subconsciente, y Adela empezó a considerar el asunto desde nuevos ángulos.

Un día, durante el tenso desayuno de cada mañana, Adela miró a su madre a los ojos y le espetó directamente:

—Mi padre no está muerto, ¿verdad?

Su madre apretó los labios y los mantuvo así a lo largo de un silencio prolongado y muy elocuente, y después de un rato dijo con lentitud, como meditando la trascendencia de cada palabra:

—Para mí sí, y para ti también. Muerto y enterrado.

—¿Y dónde? Si puede saberse —fue la réplica inmediata.

La mujer tuvo que cambiar de táctica ante el tono y la expresión de Adela, que amenazaba con seguir interrogándola.

—Hija, no me hagas esas preguntas. Eres joven y tienes todo el tiempo por delante. Céntrate en tus estudios, y no te compliques la vida— y dejó claro que no estaba dispuesta a ceder en su intransigencia relajando su habitual hermetismo, ni a caer en la flaqueza de revelar al menos un nombre, ni a mentir en los detalles del armazón de una historia, aunque fuera inventada.

Adela no volvió a ver al hombre misterioso rastrear su sombra por las calles del barrio, y sin embargo a partir de entonces no dejaba de hacer conjeturas sobre las terribles circunstancias que podrían haber complicado tanto la vida de un hombre con poca iniciativa junto a una mujer enérgica y demasiado autoritaria. Perdió de golpe todos sus miedos, y dudaba acerca de cómo reaccionaría si algún día su fantasma particular apareciera de nuevo.

Libre por fin de malos sueños, ahora se adormecía cada noche con un sentimiento placentero, porque le gustaba imaginar que alguien reparaba en ella, que alguien ocupaba minutos de su tiempo planteando hipótesis sobre ella, que alguien, aunque fuera desde la distancia, ese alguien, tal vez con remordimiento, tal vez con amor, alguna vez pensaba en ella.

Todo al revés

(23-08-12)

La ciencia tiene bien documentados casos de amnesia instantánea que sirven de precedente. Después de algún suceso traumático, es como si el ordenador central del cerebro reseteara todos sus circuitos y borrara todos los archivos anteriores. Se anulan los recuerdos y se deja al sujeto indefenso ante un mundo de circunstancias, relaciones y posesiones materiales que de pronto le son ajenas, incluso hostiles.

El caso de Ria Murtson, una mujer joven, rubia y alta, tuvo un eco especial porque apareció en medio de la canícula de agosto cuando escasean las noticias, y porque su belleza le hizo acaparar portadas de revistas sensacionalistas, y llegó a convertirla en *trending topic* del universo tuitero. Los comentaristas de la red se preguntaban de dónde habría salido un bellezón así, un ángel sin referencias cuya fotografía apareció un buen día en los periódicos, y sólo con lo puesto, sin pertenencias ni documentación, atrapó la curiosidad de muchos, se apropió de la conmiseración de otros, protagonizó los sueños eróticos de algunos, y concitó el interés de todos.

En su momento se informó de que ella, de forma espontánea, apenas había conseguido rellenar un par de datos en el impreso que le dieron en comisaría. Escribió al pie de la hoja el nombre de *Ria Murtson* en letra clara y bien legible bajo la palabra 'firma', y algo más junto al epígrafe que decía 'avisar en caso de accidente': *Zeus*. No pudo recordar nada más, y un psicólogo tuvo que intervenir repetidamente a lo largo de un interrogatorio que fue muy penoso para ella. Después, un funcionario estampó un sello y anotó el número de expediente, y en las casillas que encabezaban la hoja, en letras grandes y mayúsculas, escribió el apellido y el nombre, por ese orden, con la coma preceptiva en medio: MURTSON, RIA.

¿Quién era Zeus? ¿Qué clase de nombre era Ria? Los tuiteros y los miembros del grupo de seguimiento que se formó en facebook buceaban en el nombre Ria, de origen danés, holandés o hindú, según argumentaban por turnos, con significados evocadores que remitían al agua, o a seres enigmáticos y reservados que mezclaban la belleza con cierta amargura. Otros acudían a la mitología griega, y veían en el nombre una derivación del de Rea, la madre de Zeus, a quien salvó de ser devorado por Cronos. Por su apellido y por su aspecto físico, la situaban en distintas ascendencias, sobre todo escandinavas o británicas, pero al final se hilaban relatos increíbles sin ninguna base documental, tan sólo conjeturas y fantasías que podrían dar pie al guión de cualquier videojuego en el que Ria fuera la diosa, la indiscutible heroína.

En sus primeras declaraciones —hechas en un perfecto castellano, lo cual también aumentó el desconcierto en un principio— Ria Murtson agradeció los desvelos de todos aquellos que andaban intentando averiguaciones (aunque todas las búsquedas por el apellido fueron infructuosas), y desveló un dato que luego, tomado literalmente, resultaría clave para encontrar las primeras respuestas: dijo tener la sensación de haber equivocado todo el camino recorrido hasta entonces, como si lo hiciera todo al revés, y manifestó su convencimiento de que si pudiera volver atrás, lo haría.

Fue un escritor malagueño quien tuvo la ocurrencia —o la suerte, porque no queda claro si el azar tuvo o no que ver en esto— de colocar frente al espejo el recorte de la noticia de un pretencioso estudio grafológico de personalidad que reprodujo en una revista el impreso autografiado con su nombre y la palabra 'Zeus' junto a su foto más difundida, la original, la primera imagen de Ria mirando al objetivo con ojos inocentes y asustados, embutida en aquel traje azul tan elegante, con algunas raspaduras y manchas pero sin marcas ni etiquetas, a juego con su falda corta y entallada.

Ahora las pesquisas diplomáticas acaban de dar fruto, y al parecer las autoridades egipcias han informado de un accidente aéreo ocurrido en oscuras circunstancias mientras una aeronave comercial sobrevolaba el Canal de Suez de regreso a alguna de sus bases en Europa, un suceso que arrojó como saldo un reguero de víctimas entre el pasaje, y una persona desaparecida entre el personal de vuelo. En las redes sociales se ha reactivado el tema ahora que todo el mundo espera conocer en breve muchas más noticias sobre su historia.

Apellido y nombre, por ese orden, con la coma de separación. Yo mismo lo escribí en mayúsculas y probé a leerlo frente al espejo. Y nada de dioses del Olimpo, sino un escenario macabro, un estrecho —de separación también— entre dos moles continentales. El antes y el después característico de las grandes transformaciones. Algo quedó averiado en la mente de la joven al cruzar ese puente, y su modo de querer desandar el camino fue ir hacia atrás. Reveladores los dos únicos datos retenidos: no quién, ni cómo, ni por qué, sino *con quién*, y *dónde*. Y todo al revés.

Pobre chica. ¿Cómo se llamará en realidad? ¿Cuántas veces no habría aleccionado ella misma, en nombre de la tripulación, en medio del pasillo con su elegante traje azul de azafata, sobre cómo actuar en caso de emergencia?

Aventura en El Retiro

(04-09-12)

Cuando llegué tan temprano desde Guadalajara, no sabía dónde ir en Madrid toda una mañana para hacer tiempo hasta el tren de la tarde, y además, se hacía pesado cargar con la bolsa en todo momento, así que entré en el Parque del Retiro por la Puerta de O'Donnell y después de pasear un buen rato y perderme por glorietas y caminos haciendo fotos a generales, escritores, ninfas y angelotes, me senté en una de las terracitas buscando sombra y un remanso donde aplazar el cansancio y aplacar la sed. En una mesa cercana dos jovenzuelos, bastante escuchimizados aunque muy ruidosos y desvergonzados, daban la nota ante la resignación del veterano camarero, que parecía haber arrojado la toalla.

Después de unos minutos, acabada ya mi horchata, me volví para mediar en un diálogo entre unos turistas y una joven con quien no acababan de entenderse en inglés, y poco después caí en la cuenta de que habían desaparecido los dos jovenzuelos desvergonzados, al tiempo que eché en falta mi cámara digital, que ya no hacía de pisapapeles sobre el montoncito de servilletas que había junto a la silla donde reposaba mi bolsa. Ante mis aspavientos y lamentaciones en voz alta, el camarero vino a solidarizarse conmigo y decidió no cobrarme la horchata.

Al menos una hora más tarde, sin que se me hubiera pasado el mal humor, resolví alquilar una barquita de remos para olvidarme sin peligro del peso de la bolsa y refugiarme un rato en el leve ejercicio físico trazando erráticas diagonales en el estanque donde bastantes niños y algunas parejas disfrutaban de una mañana apacible con suave temperatura.

Para mi sorpresa, cuando yo apuraba mi trayectoria hacia uno de los bordes y me disponía ya a girar, me hicieron darme cuenta de la situación los agitados chapoteos y las ligeras señales de alarma en la barca que, próxima a una esquina, podría en breve quedar atrapada frente a la mía: los mismos bribones de antes volvían a tenerme como vecino, y se creían perseguidos y con difícil escapatoria. Suponiéndome iracundo y desesperado, ellos, poco corpulentos y lo suficientemente lejos del medio terrestre por el que podrían escapar a la carrera, no sabían cómo reaccionar. Decidí pasar a la acción y me saqué de la manga una actitud fanfarrona inexplicable en mí, pero ciertamente peliculera, digna de un guión con pretensiones:

—Venga, hacedme una foto, valientes—. Y añadí en medio del desconcierto —Con mi cámara, claro. Ahora que hay un fondo bonito.

En un gesto que entonces me pareció bastante chulesco, uno de los dos sacó mi cámara de su bolsillo, apuntó con el objetivo en mi dirección e hizo ademán de apretar el disparador. Acto seguido, tras un susurro al oído de su compañero, los dos apuraron con sus remos la cercanía del murete de piedra que marcaba el límite por ese lado y dejaron allí mi cámara en precario equilibrio y con riesgo de caer al agua, de suerte que, si quería recuperarla, yo debería remar también hacia allí, y ellos podrían entonces escapar por el pasillo que se abría por el lado contrario.

Cuando salí de la barca, con mi cámara a buen recaudo dentro de la bolsa, aunque las piernas aún me temblaban, una vaga sensación de satisfacción comenzó a asaltarme con inusitada fuerza, y acabé imaginándome a mí mismo en un papel improvisado de héroe justiciero, alguien que había conseguido restablecer el orden sin un golpe ni una gota de sangre. Después de parar a comer, deambulando por el Paseo del Prado en mi lento camino hacia Atocha, casi ensayaba las palabras con las que contaría este episodio a todos mis sobrinos.

Sin embargo, esta imagen autocomplaciente empezó a desvanecerse cuando, horas después, recién instalado ya en mi asiento del AVE que me devolvía a Málaga, se me ocurrió sacar la cámara para ir repasando las fotos. Junto a las escenas familiares en Guadalajara y las imágenes de las estatuas y panorámicas del Retiro, el único fotograma de acción de mi película particular apareció ante mis ojos, y fue entonces cuando me di cuenta de que aquel mequetrefe descarado no había amagado con disparar, sino que lo había hecho realmente. Por la crispación acumulada en el rostro y en el cuello, y la posición amenazadora de mi dedo acusador rematando la tensión de todo el tronco volcado hacia delante, comprendí sin esfuerzo el nerviosismo de los dos pillos y, extrañamente, valoré en mucho su ingenio, que por fortuna me había librado de cualquier reacción desaforada para conmigo mismo, muy probablemente.

Avergonzado, remiraba ese momento congelado en el visor, y las numerosas aproximaciones del *zoom* hasta el detalle de mis labios apretados y mis ojos increíblemente abiertos subrayaban mi apreciación de que el héroe justiciero había desaparecido por completo. Ahora yo solo veía allí a un desalmado con ansias de venganza.

Al final del viaje, justo cuando la voz metálica nombraba a María Zambrano en el anuncio de la próxima parada, decidí borrar esa foto y no contarle a nadie mi aventura.

Aunque no lo parezca

(16-09-12)

Adri se acababa de marchar de Erasmus a Bruselas, y nos hablaba por *Skype* de las dificultades propias de los primeros días, la instalación completa, su primer encaje. Olga y yo habíamos almorzado en silencio aquel día, y a los postres ella inició uno de aquellos discursos farragosos suyos, empezando una oración principal y dejándola interrumpida de inmediato con subordinadas de ocasión, inacabadas a su vez, que le salían al paso como atajos, de manera que costaba trabajo seguir las pistas que su pensamiento iba recorriendo a trompicones.

—A Adri no le han dado al llegar más que un colchón, así que tú y yo podríamos..., vamos, creo..., porque no es fácil elegir la ropa de cama..., y él, ahora que vamos a ir a verlo..., para que no pase frío.

De un modo algo exaltado, yo le afeé una vez más esa manera de hablar, pero en aquella ocasión, además, ironicé un poco para ridiculizarla, y le dije al ratito:

—Yo te habría entendido perfectamente si hubieras dicho: "A Adri no le han dado más que un colchón, así que tú y yo podríamos elegirle la ropa de cama y llevársela cuando vayamos a verlo. ¿Qué te parece?" Así es como la gente dialoga.

Lo normal en estos casos era que Olga se defendiera atacando. Solía decirme que, por deformación profesional, yo estaba obsesionado con las palabras, pero que a la gente normal le bastaba con comunicarse. Formas tan poco sutiles de llamarme 'anormal' derivaban en una leve discusión, y luego en otra, y otra más. Esas menudencias eran la mejor prueba de que hubo un tiempo en que realmente discutíamos por cualquier tema.

Aquella misma tarde, al levantarme después de la siesta, me encontré a Olga sentada en el sofá, muy estirada y digna, diciéndome de sopetón:

—Estoy harta de muchas cosas, Adrián. Siéntate, que tenemos que hablar— y al cabo de una hora de acusaciones y justificaciones, la tensión en el ambiente se podía cortar con un cuchillo.

—¿Entonces esto es una separación definitiva? —pregunté casi resignado al final de nuestra conversación, y ella pobló de pausas su respuesta, meditando y lamentándose mucho entre un segmento y otro:

—Pues pudiera ser que sí..., pero vaya..., aunque en un principio no lo parezca.

Aquella dudosa afirmación del *sí-pero-aunque* consagraba su más genuino estilo de retales (con el que a veces bromeábamos a sus espaldas mi hijo y yo), y sin duda supuso el comienzo de una época de gran tristeza para mí.

Olga se marchó a casa de sus padres, y durante dos larguísimas semanas nadie allí descolgaba nunca el teléfono. El viaje a Bruselas salió más barato porque sólo tuve que comprar la ida y vuelta para mí. Precisamente al ver a un viajero trabajando en el aeropuerto con su ordenador portátil se me ocurrió la vía del correo electrónico para comunicarme con ella. Yo apenas lo usaba, pero sabía que ella lo abría prácticamente a diario.

Me tomé la redacción del texto como un trabajo que requería una elaboración delicadísima, y probé con varios borradores antes de recortar y pegar la última versión. Unos instantes después de enviar el mensaje, pensé que era arriesgado parodiar su estilo de aquella manera, y sin embargo, días después, Olga me confesó que después de tantos días seguidos de ahogados sollozos, sólo al leer mi correo pudo ella sonreír abiertamente por primera vez. Tal vez en un último reproche por mi parte, aunque bien solapado, eso sí, yo le había escrito —en un lenguaje, por así decirlo, que ella pudiera entender y con el que se pudiera conmover— lo siguiente:

No dejo de acordarme de ti, y he decidido que..., por favor me perdones porque..., y sé que tú también me quieres..., yo voy a cambiar..., ya ves que puedo incluso..., porque yo te quiero mucho, sabes..., hablar como tú..., te escribo para pedirte..., cuando lo hayas pensado con tranquilidad..., si he sido un estúpido..., que vuelvas..., tú tenías razón..., a casa conmigo..., en todo, Olga, en todo..., por favor, en todo.

Increíblemente, mi plan funcionó, y Olga volvió a casa y nos dimos otra oportunidad para dejar atrás amarguras pasadas e intentar redescubrir ciertas emociones. Yo me esforcé en demostrar más paciencia y comprensión, y desarrollé una insospechada habilidad para intuir finales colocando las piezas que faltaban en el discurso de la convivencia.

Adri vino a pasar la Navidad con nosotros, y no paraba de hablar de sus lugares favoritos, sus meriendas a base de gofres sentado en la *Grand Place*, sus progresos con el francés y los buenos amigos que ya decía tener entre sus compañeros de clase y de residencia. Un día de enero, antes de subir para el almuerzo, entré con él en un bar para tomar unas cervezas y charlar un poco con más libertad de lo que podríamos hacerlo en casa, ya que estaba próximo su regreso. De pronto hizo algo que me gustó y me extrañó bastante en él, habitualmente tan poco sentimental. Dijo que para él lo mejor del primer trimestre no había sido ninguna de las maravillas de Bruselas de las que tanto nos hablaba, sino volver a casa... 'y veros pasear —dijo— a ti y a mamá cogidos de la mano'. Nos dimos un rápido abrazo, y luego no consintió en que pagara yo las consumiciones.

—Es dinero tuyo, de todas maneras— soltó, aderezando el comentario con un gesto gracioso.

—Pues va a ser que sí, pero vaya, aunque no lo parece— repliqué yo con agilidad, y los dos nos seguíamos riendo todavía cuando Olga nos abrió la puerta.

Triángulo irregular

(18-10-12)

Que cómo me había enterado yo de lo suyo, me preguntó, y dadas las circunstancias según él, tal vez fuera una pregunta previsible. Lo cierto es que no supe controlar mis reacciones, y el vestigio de una amistad que podía haberse recuperado entonces, quedó roto y perdido para siempre.

Unos diez u once años atrás, en el último curso de la Facultad, los cuatro formábamos un grupo bien avenido, que frecuentaba salidas y complicidades. 'La Torre' (Isabel Torrecilla), 'la Rubia' (Celia Rubiales), 'el Sega' (Diego Segarra) y un servidor, Julián Padilla, 'el Padi', nos juntábamos siempre para los trabajos de grupo, en todas las asignaturas. Los chicos asumimos nuestro apócope sin pena ni gloria, pero las chicas parecían especialmente contentas: Isabel, porque era alta y esbelta, y decía que su apelativo era una metáfora poética, y Celia, más mundana, porque se conformaba con el arquetipo y a veces se tintaba el pelo para acercarse más a su descripción artificial. Ella en particular, Celia, siempre me dedicaba sonrisas y atenciones especiales, miradas que unas veces me daban ánimos, y otras me confundían.

Cuando hace unas semanas la volví a ver después de tantos años, aún llevaba esas mechas rubias en su pelo rizado. La reconocí desde lejos, de escorzo y luego de espaldas; algo más corpulenta, y las caderas más anchas, pero con buena figura todavía. Yo venía de la sección de música del FNAC, y ella buscaba algo en la sección de informática. Me detuve unos pasos detrás de ella, y no me decidí a acercarme más. Yo había rememorado muchas veces con agrado aquella primera noche de pasión improvisada, de resultas de una fiesta loca, cuando amanecimos juntos en su cama del piso de estudiante que tenía alquilado en Teatinos, y sin embargo recuerdo bien cómo su actitud en los días siguientes me incomodaba. Por eso pasé aquel último trimestre jugando con ella al ratón y al gato, e intentando huir de cualquier tipo de compromiso. De aquella época todavía guardo una fotografía que me regaló, en la que imitaba una postura de Marilyn con los morritos de su boca ensayando un beso, y en la que había escrito en inglés un mensaje bastante directo: *My heart belongs to Padi'*.

Empecé a preguntarme si ella estaría sin pareja, como yo ahora, aunque, guapa como era, lo más probable es que se hubiera casado, y tal vez tuviera hijos. Yo dudaba, allí parado y medio parapetado tras unos estantes, sobre qué haría ella, cómo reaccionaría, si me acercara por fin (yo, que había sido tan poco elegante en la despedida años atrás) y le sonriera al decirle:

—Celia, ¿eres tú?

Después de verla alejarse escaleras mecánicas abajo, para distanciarse seguramente durante otro buen montón de años, tuve de pronto la certeza de haber actuado como un gilipollas. En casa recordaba el episodio constantemente y me lamentaba por no tener ningún medio para poder localizarla; realmente llegué a obsesionarme con ella, o mejor, con una idea suavizada de cómo podría ser ella ahora, y cómo podría haber comenzado nuestra nueva relación.

—Así las cosas, tuve que encontrarme ayer con 'el Sega' precisamente, en mitad de calle Larios. Hacía más de un año que no nos veíamos, y al principio hubo cordialidad. Nos sentamos en una terraza para tomar unas cervezas y charlar, y al cabo de un rato, cuando empezábamos a recordar anécdotas de la Facultad, decidí abrirme un poco con él y confiarle parte de mis obsesiones recientes con Celia.

—¿Te acuerdas de 'la Rubia'? — le pregunté inocentemente, pero al ver su reacción, mi sorpresa fue mayúscula y frené de golpe mis intenciones iniciales.

—¡Vaya, cuánto tiempo hacía que no oía a nadie llamarla así! Claro que me acuerdo de Celia todavía. Ten en cuenta que todo está aún muy reciente, y ella es una mujer especial, que deja huella.

Un silencio involuntario me atenazaba dejándome en la estupefacción más absoluta, pero por suerte no tuve que decir nada, porque él siguió hablando solo, en una especie de desahogo liberador que, sin embargo, estaba empezando a resultar hiriente para mí.

—Han sido sólo dos meses, pero muy intensos. Ella dijo que no quería hacerme daño y que prefería dejarlo antes de que pasara más tiempo. Que había intentado junto a mí ahuyentar algunos fantasmas del pasado, pero que la cosa no había salido bien.

Yo, atrapado en un sentimiento de celos inexplicable, empecé a sentirme con un papel protagonista, y sacando de no sé dónde una media sonrisa burlona que parecía ensayada, pregunté:

—¿A qué podría referirse?

—Quizá tú puedas decirme algo— contestó, seco y desafiante.

—Entonces fue cuando empezó la discusión. Después de un largo trago, cambió su tono de voz para preguntarme:

—Y tú, precisamente tú... ¿cómo te has enterado de lo nuestro?

Ahora, un día después, pensando ya en frío, la situación me parece irreal. ¡Y pensar que hace unas semanas yo era ajeno a todo esto! Ahora no dejo de verme, muy a mi pesar, como uno de los vértices de un triángulo muy mal definido, demasiado irregular.

Mundo sin referencias

(10-11-12)

Su vida había cambiado mucho últimamente, pero ella parecía no darse cuenta. Sumida en el universo gris de un mundo sin referencias, circunscrito a las habitaciones de su casa y un par de calles de su barrio, su día a día se debatía entre rutinas bien consolidadas y destellos borrosos y desordenados de recuerdos de un pasado bastante remoto.

Ella, desencajada de sí misma, abúlica y gruñona, decía que sólo necesitaba algo de tranquilidad, que la dejaran a su aire, con sus propios asuntos y preocupaciones, entre sus cosas, a la deriva con sus temores y esperanzas. Se quejaba de que todos quisieran dirigir cada uno de sus movimientos, limitar cada una de aquellas iniciativas suyas, cada vez más escasas ya, con las que ella siempre había luchado por controlar el timón de su propia vida, divisando ahora en cambio horizontes menores tan solo.

Decía que aceptaba de buen grado una ayuda en las tareas de la casa, porque el tiempo no pasaba en balde, y si los trabajadores, como ella los llamaba, querían acompañarla y asistirla, ella no se oponía, pero les exigía un margen mayor de libertad, y discutía acaloradamente con ellos cuando se tomaban demasiadas confianzas, recurriendo incluso, a veces, a un tono de familiaridad absolutamente fuera de lugar.

—A mí nadie me tiene que decir lo que tengo que hacer, o cómo y cuándo tengo que asearme. ¡Como si yo estuviera chalada, o no supiera valerme por mí misma, con lo que una lleva ya vivido a sus espaldas! —se desahogaba a voces, más con el hombre callado y diligente que venía por las mañanas que con la mujer menuda y nerviosa que solía llegar a la casa cuando él se marchaba.

Una tarde empezó a repetir la idea de que sus hijos vendrían cualquier día para rescatarla, pero luego pareció meditar en algo atávico, profundo o metafísico, y se detuvo en mitad del pasillo mirando con sus ojos gastados y amarillos como más allá de las paredes. Tal vez un sentimiento de rendición inesperada le sobrevino de pronto, o tal vez un resquicio de lucidez la pilló desprevenida. Lo cierto es que se acercó hasta la cocina, donde la mujer acababa de fregar los cacharros, y, cogiéndole las manos, le preguntó directamente:

—Esto no son despistes, ¿verdad?— y tras un silencio prolongado, se atrevió a formular el resumen de todas sus inquietudes:

—¿Estoy enferma?

—No te preocupes por eso, mamá —le respondió la mujer— Vente conmigo, que tengo que cortarte las uñas.

El sonido metálico de las tijeras remarcó sutilmente el paso callado de algunos minutos, y ambas mujeres sincronizaron su pulso alterado sin nada más que decirse, y la aparición involuntaria de un amago de lágrima se asomó al mismo tiempo a los ojos de las dos.

Eva y Leo

(16-11-12)

Yo soy una persona corriente, con las preocupaciones y los sueños propios de cualquier mujer joven. Y de todas formas, esta nueva expectativa mía cada vez es más normal a mi edad también, en estos tiempos.

Ya lo era —una chica normal, digo— cuando ayudaba en mi casa con parte del dinero que ganaba trabajando a media jornada en la cafetería, y llevaba mis estudios a distancia lo mejor que podía. Pero nunca estuve desesperada por encontrar pareja, la verdad, como yo veo que le pasa a algunas de mis amigas, aunque ellas no lo reconocerían nunca.

Las primeras veces ni siquiera me fijé en él. Venía todos los martes y algunos viernes, y se sentaba siempre en una de las mesas de la esquina del fondo, junto al mostrador de pastelería. Yo le servía su café solo y le llevaba el periódico, y él le echaba una rápida ojeada a la sección de deportes, miraba las ofertas de trabajo un rato, y luego, invariablemente, sacaba un bic negro (que parecía un complemento obligatorio para su ropa, oculto entre los bolsillos de sus camisas sin cuello o sus pantalones vaqueros) e intentaba el crucigrama del día. Parecía tímido, y desde luego, era bastante callado. Cuando se levantaba, siempre se acercaba a mí para que yo le cobrara.

No nos dio tiempo a intercambiar muchas frases. Una vez quise bromear con él y le dije que, en vez de un café solo, si quería le ponía dos, pero aquel día parecía especialmente huidizo, y se dirigió en seguida a su mesa de la esquina, sin contestarme ni sonreír ni nada. El diálogo más largo que mantuvimos giró en torno a las definiciones de palabras. Cansada ya de tanta mirada a hurtadillas entre la barra y la mesa, me acerqué a su esquina y, después de limpiar los restos de la mesa de al lado, le pregunté por el crucigrama.

—¿Qué, sale o no sale?

—Aquí estoy, pendiente de tres definiciones que lo tienen todo empantanado.

A mí se me ocurrió decirle que a partir de cuatro letras, ni me preguntara, pero que en cambio era infalible con las palabras de tres. Él sonrió por primera vez, y a lo largo de las mañanas siguientes me iba preguntando de cuando en cuando, y así fueron desfilando 'gorra militar', ros; 'contienda o pelea', lid; 'composición poética de tono elevado', oda; 'afluente del río Miño', Sil. Preparándome a mi manera, por si acaso, llegué incluso a preguntarle algunas a mi madre, que llevaba muchos pasatiempos hechos desde que empezó a quedarse sola en casa.

—Oye, es verdad. Eres una máquina. No fallas ni una.

—Pero recuerda. Sólo de tres letras, como mi nombre: Eva.

—Encantado. Yo me llamo Leonardo.

—Pero podría llamarte Leo, ¿no?

Poco después de aquello Leo dejó de venir por la cafetería; al menos, por unos días. Eso yo ya no lo podía saber, porque coincidió que fue entonces lo de mi discusión con el encargado, y me vi en la calle de pronto, y además, con la certeza de que no sería bien recibida si volvía por allí. Otro disgusto con mi madre. Culpa mía, según ella, por tener un carácter tan difícil.

Cuando ya el tiempo había hecho su trabajo de zapa y las nuevas preocupaciones empujaban a todas mis pequeñas circunstancias anteriores al fondo del abismo del olvido, una tarde sentí el contacto de unos dedos en mi hombro mientras esperaba el autobús, y al volverme me atrapó la mirada de Leo, y tuvo lugar un diálogo absurdo que sin embargo consiguió dibujar en su cara aquella sonrisa que tanto había echado yo de menos:

—¿Yunque de platero? —me preguntó él.

—¿Tres letras? —repregunté yo.

—Sí.

—Tas.

Después de dos besos en las mejillas y un breve interrogatorio mutuo sobre nuestras nuevas actividades, él se arrancó con un ofrecimiento inesperado:

—¿Aceptas que te invite a un café?

—¿Uno solo, o mejor dos? —volví a repreguntar, y esta vez no se dibujaron sonrisas, sino que sonaron carcajadas.

Me olvidé del autobús, y empezamos un largo paseo, y antes de un cuarto de hora ya le había sacado más palabras que en todos aquellos ratos juntos en las mañanas de la cafetería.

Ahora, después de un año de convivencia, ha habido entre nosotros algo más que palabras, y no sé cómo darle a mi madre la noticia, la verdad. Supongo que tras la sorpresa inicial y el mal rato, le hará ilusión pasarse unos cuantos meses buscando nombres en dos sexos, pero eso sí, por favor mamá —pienso decirle—, a ver si eres capaz de encontrar algunos nombres bonitos que solo tengan tres letras. Como tú dices, yo siempre tengo que poner las cosas difíciles.

Pueblo abandonado junto a la orilla[1]

(06-12-12)

A Paco Rengel

Aquellos días de noviembre fueron difíciles para Rafael. La lectura de aquellos resultados tan descompensados en el informe del laboratorio y las charlas posteriores con los médicos especialistas aconsejaban un rápido ingreso hospitalario. Había que hacerle frente al tumor lo antes posible, y lo que parecían leves desarreglos en un principio acabó tomando la forma de una lucha sin cuartel contra la enfermedad; todo un desafío para su integridad y su determinación, un reto a su fortaleza de ánimo y un grave contratiempo con muchas consecuencias para su entorno y sus modos de vida y trabajo.

Tuvo poco tiempo para asimilar la avalancha de sentimientos encontrados, pero halló el necesario para hacer un balance apresurado del camino recorrido, y se vio a sí mismo sin deudas ni cuentas pendientes, ligero de equipaje y en puertas de un viaje que tal vez lo retendría fuera demasiado tiempo (fuera de circulación, fuera de sí mismo) antes de que pudiera regresar en buenas condiciones.

Lo peor era tener que presenciar el dolor entre sus allegados y familiares, y convivir con él, porque por lo demás, él se las arreglaba bien para lidiar con la preocupación de los amigos, que apenas le dejaban, entre tanta y tanta visita, algo de tiempo para sí mismo.

Cuando por fin llegó el silencio al apagarse la luz de la habitación y Rafael se dispuso a afrontar la primera noche junto a Mar, su mujer, que velaba en mala posición, arrellanada como podía en el sillón reclinable que había junto a la cama, inevitablemente repasó mentalmente sus últimas decepciones (su penosa salida de "La Voz de Málaga", donde había trabajado tantos años; la contrariedad de aquellas prue-

---

[1] En portada, "Deserted village by the shore" (Manus Walsh, 2010)

bas de identificación de huesos por ADN que no le permitieron cerrar un capítulo importante de su historia familiar; las dificultades empresariales de su nuevo proyecto periodístico...), y tardó en conciliar un sueño intranquilo que lo condujo a un episodio soñado con gran carga simbólica que, aun de forma inconsciente, lo mantuvo en la línea de serenidad que Rafael tanto se esforzaba en no perder nunca.

Se imaginó a sí mismo caminando solo, a lo largo de la orilla de un litoral desconocido para él, y avistando tras una enorme duna de las que jalonaban la línea de la playa una agrupación de casas que componían una aldea desangelada, un pueblo dormido bajo una luz mortecina. Al acercarse, pudo comprobar que todas las puertas estaban abiertas, pero nadie habitaba en las casas. Entró en algunas de ellas, y en todas vio en las paredes pequeñas fotografías que enmarcaban secuencias de su vida: dando sus primeros pasos inseguros de la mano de su madre, jugando con un tricornio de guardia civil que le quedaba grande, disponiendo las piezas de ajedrez sobre un tablero, pateando un balón con otros niños en un patio de colegio, ensayando tiros libres en una cancha de baloncesto, colocando los tipos de imprenta, tecleando crónicas en una vieja máquina de escribir, disfrutando de una buena comida entre amigos.

Subió a la terraza de una de las casas, y presenció desde esa atalaya la hermosa visión (aunque algo borrosa, ligeramente desenfocada) de una alargada franja de tierra negra que se adentraba de un modo temerario en la inmensidad del mar, justo en el momento en el que empezaba a salir el sol, y el panorama dejaba poco a poco de ser lúgubre y mortecino, recobrando aquel pueblo fantasma sensaciones y movimiento, sonidos, fragancias y colores.

El tratamiento de quimioterapia fue bien tolerado por el cuerpo de Rafael, que gradualmente fue recobrando tono y energía, y meses después, una noche él tuvo en su casa un sueño parecido al de aquella primera noche en el hospital: caminaba solo, mojando sus pies en las espumas del rebalaje, y al doblar la curva tras la gran duna de arena y avistar el pueblo abandonado junto a la orilla, oyó el sonido de su teléfono móvil, que le avisaba de que alguien le mandaba un mensaje. Al sacarlo del bolsillo, comprobó que no era el único, sino que había una larga lista de personas conocidas y queridas que le enviaban mensajes de afecto y de ánimo. En uno de ellos, alguien había escrito: "Vamos, tío. Vístete de corto y sal a la cancha, que tienes que jugar la prórroga". Al leerlo, Rafael comprendió que ese partido había que ganarlo como fuera, y por eso, ya por la mañana, al terminar el desayuno, cuando Mar le preguntó que dónde quería que fueran para pasar el fin de semana y escapar un poco de las tribulaciones domésticas y las tensiones del día a día, él le respondió de un modo enigmático:

—Busquemos algún pueblo abandonado junto a la orilla del mar.

Por si acaso

(12-12-12)

La cadena de acontecimientos se remota hasta un sábado de primeros de febrero, cuando vi aquel reportaje en el programa 'Informe Semanal'. Me impresionaron los aspectos morales del asunto, y quedé desconcertado e indignado ante las dimensiones de la trama, aparentemente bien organizada e increíblemente bien silenciada a lo largo de tantos años. No fui el único, ciertamente, porque la mañana del lunes todo el mundo comentaba en el trabajo ese tema de 'los niños robados'. Una frase pescada al azar de boca del teniente Robledo a la hora del café fue lo que me hizo empezar a plantearme algunas cosas:

—Piénsalo, Santi. Cualquiera de nosotros podría ser, sin saberlo, uno de esos niños robados.

Después de una sencilla búsqueda en Internet, supe que en Málaga había una plataforma de personas afectadas que contaba ya más de veinte expedientes en curso de investigación, y que en el Hospital Civil, donde yo había nacido cuarenta y cinco años atrás, se habían localizado algunas anomalías, y hubo ocultamientos, y denuncias, y tragedias personales que se habían desatado al documentarse suficientemente algunos casos ya confirmados.

A partir de aquellos días empecé a mirar a mi padre con otros ojos. Había trabajado como fontanero toda su vida, últimamente en una empresa de servicios, y desde su retiro forzado por culpa de sus graves problemas con la artrosis, sus estancias en casa se hacían largas y pesadas. Con él nunca había congeniado del todo, y desde que se quedó viudo, las carencias en la comunicación conmigo habían quedado mucho más de manifiesto.

Él era don José para los vecinos, y Pepe para los pocos amigos que le quedaban de sus tiempos en la empresa, como por ejemplo Emilio, el carpintero, que lo visitaba de vez en cuando y le hacía bajar a la taberna de en frente para tomar unos vinos y jugar al dominó o a las cartas, y recordaban anécdotas graciosas, un poco maquilladas ya, y algo postizas con el paso de los años. Pepe Gotera y Emilio, decía, una sociedad perfecta para las chapuzas, y venga ja ja ja, y más y más risas.

En casa, en cambio, mi padre nunca se reía, y se mostraba taciturno casi siempre, y muy callado, adoptando un aire como de culpabilidad. Se había quedado calvo desde bastante joven, mientras yo conservaba un pelo abundante y recio, a mis años. En sus facciones redondeadas yo no veía ningún parecido con las mías, y los rasgos físicos de mi madre, bajita como él, tampoco coincidían en nada con los míos, un tipo fornido, de facciones angulosas en el rostro, y uno ochenta de estatura. A ella una serie de problemas pulmonares la habían llevado a la tumba cuando yo iba a cumplir treinta años. Mi hermano Joselito, el niño muerto prematuramente antes de que yo viniera al mundo, también falleció a causa de una malformación genética en los pulmones, y como contraste, yo jamás había tenido problemas respiratorios, ni tenía ahora problemas con los huesos —aunque tal vez fuera un poco pronto para eso—, y en las pruebas físicas de ingreso en la academia, según mis superiores, tuve resultados propios de un atleta.

A ratos, estas especulaciones me hacían sentirme ridículo, y no me animaban a indagar en los archivos del Hospital Civil ni a contactar con la Asociación de Niños Robados de Málaga, en base sólo a sospechas sin fundamento. Sin embargo, no podía dejar de pensar en el tema, y mi padre debió de notar algo raro por el modo en que lo miraba.

—¿Se puede saber qué te pasa, Santi?

—¿Lo ves? Tú nunca me llamas 'hijo'. Sólo Santi para arriba, Santi para abajo. Y así es como tiene que ser. Me gusta mi nombre y también me gusta el tuyo, así que a partir de ahora te llamaré siempre José, si no te parece mal.

—Pero por qué...

—Por si acaso —le interrumpí con vehemencia, y él puso una cara de alarma o de seria preocupación, tal vez por mi estado mental, pobrecillo, preguntándose qué bicho me habría picado y sin sospechar lo que me andaba rondando por la cabeza.

A la mañana siguiente, aburrido como siempre en medio de las tareas rutinarias de mi trabajo en el despacho de Extranjería, caí en la cuenta de que en la planta de arriba estaban las oficinas de la Policía Científica, y allí mi compadre el sargento De la Riva me debía más de un favor, y discreto y servicial como era, seguro que aceptaría sin demasiadas preguntas una muestra de saliva, por ejemplo, y la llevaría a analizar. Ese sistema me daría un cien por cien de seguridad, y acabaría con el runrún de una vez por todas. Cuando hablé con él, me dijo que estuviera tranquilo, que contara con la máxima confidencialidad, y calculó dos semanas de plazo para entregarme un informe definitivo con resultados fiables en un sobre cerrado.

Una tarde, mientras pasaban esos días de tensa espera, encontré en el cajón de las fotos antiguas una de Joselito, desnudo sobre su cuna, y era innegable el parecido con otra similar que conservaba mi padre de sí mismo a esa edad aproximadamente. Mis fotos, en cambio, mostraban a un bebé más robusto y menos pelón.

La mañana del uno de marzo el sargento me pasó bajo cuerda un sobre al cruzarse conmigo en un pasillo, y desde el momento en que lo toqué, sentí una especie de vértigo sin retorno, una incómoda sensación como de amenaza o pérdida, y no me atreví a abrirlo de inmediato. Lo guardé en el bolsillito de cremallera que jamás había abierto para nada, como otros apartados de mi maletín negro a los que no daba ningún uso, y allí permaneció por espacio de otras dos semanas, en las que estuve debatiéndome ante la disyuntiva de descifrar o no un aspecto crucial de mi vida que podría terminar de un plumazo con el flujo sereno de una existencia anodina y sedentaria como la mía.

Recuerdo que era viernes, y por la tarde, antes de entrar en casa de vuelta de la comisaría, me detuve en el parquecillo que nace junto a las marquesinas del autobús y los contenedores de reciclado. Me senté en un banco y pensé mucho en José, un pobre viejo que podría quedarse definitivamente solo con el devenir de los próximos acontecimientos. Él, al fin y al cabo, se las había apañado para cuidar de mis necesidades básicas desde que faltaba mamá, y de todas maneras, quién podría entender que un gorrón como yo, que no había abandonado el nido todavía, por comodidad más que nada, lo hiciera ahora sin venir a cuento, causando más daño del que pretendiera reparar.

Dudando aún si rasgar o no el sobre que había en el bolsillo de mi maletín, me levanté y caminé hasta llegar al bloque de reciclado, y entonces decidí abrir la cremallera y coger el sobre. Sin abrirlo, le hice un par de dobleces, lo introduje en el contenedor azul, y acto seguido, en vez de dirigirme a casa, decidí buscar en las tiendas algún regalo convencional para el inminente día 19 de marzo, festividad de San José, y Día del Padre.

Pensé para mis adentros que ese regalo se lo haría por la onomástica de José exclusivamente, pero no en calidad de padre. "¿Por qué?", me preguntaría él si se enterara. "Por si acaso", me respondía yo interiormente. "Por si acaso. Por si acaso...".

2. ARTÍCULOS

Paisajes del alma

(24-12-2008)

La poesía es un proceso de fusión de los mundos exterior e interior a través de la palabra y de la óptica apasionada de alguien a merced de sus instintos. Si uno deduce de estas palabras que el poeta debe ser necesariamente un hombre apasionado, no se equivocará demasiado, pero conviene precisar un poco más la cuestión: no me refiero aquí a la pasión como arrebato, incendio irracional, emotivo o amoroso que obnubila o ciega, y no mide sus consecuencias, sino a la intensidad del mimo, el respeto, la devoción o el amor con el que el poeta acude a la palabra como único instrumento capaz de traducir fielmente la pureza de su sentimiento según un código particular, plagado por ello frecuentemente de claves y mitologías propias.

Todo verdadero poeta, entonces, ha de ser un apasionado de la palabra, y ésta, a cambio, agradecida, si eso que llaman *estilo* ha sabido moldearla adecuadamente, se verá revestida de un aura difícil de explicar, incluso para críticos o catedráticos, algo que capta mejor la sensibilidad que la erudición. El poeta verdadero habla a través de sus versos y se comporta como una esponja en medio de un paisaje que es evocador *per se,* no como medio, excusa o trampolín, sino como puente de conexión directa con otro territorio más interior.

Pensemos en la identificación de Rainer María Rilke con el paisaje rondeño por las mismas fechas (1912-13) en que Antonio Machado acusaba recibo de los campos castellanos y andaluces. Pensemos en el

101

malagueño Emilio Prados desde el exilio mejicano, valiéndose de la umbría de su jardín cerrado o los rumores de su río natural para evocar el paisaje malagueño perdido y distante, pero presente y punzante en su obra gracias a esa suerte de comunicación espiritual que hace posible la poesía. Pensemos todavía en otro paisano nuestro, el surrealista Rafael Pérez Estrada, soñando su mundo de ángeles y magias frente a la silueta misteriosa del Peñón del Cuervo, recortada entre dos azules. Entre todos nos harán cómplices ocasionales en sus paseos y miradores sobre la serranía; alamedas y olivares; jardines y ríos; olas y peñascos..., obeliscos que rompen con su verticalidad la línea del horizonte, frontera inalcanzable sobre el mar y bajo las nubes que seguirán enviando, con lloviznas o tormentas, la lluvia vivificadora de palabras que harán que los poetas nos transmitan una emoción capaz de hacer reverdecer en nosotros, cada vez que los leemos, sus paisajes del alma.

Carlos Pérez Torres

Modernizar la tradición

(01-02-2009)

En el ámbito poético con frecuencia resulta bastante borrosa la distinción entre lo que es clásico y lo que no lo es. La manía de etiquetarlo todo es como un cáncer ya muy extendido, y algunos críticos superficiales son capaces de descalificar a determinados poetas incluso sin leerlos, tan sólo atisbando desde la fachada exterior de las páginas el hecho de que de vez en cuando se someten a los dictados de algunas estrofas clásicas, y son, por tanto "meros solucionadores de pasatiempos líricos", representantes de una poética caduca, pertinaces continuadores de una tradición que los inhabilita para figurar en la próxima antología. Pues bien, si esos críticos fueran enólogos, cometerían el error de juzgar las cualidades de un vino por la forma de la botella.

Por importante que sea la labor del impresor —que lo es, pues imprimir es dejar la voz escrita—, la palabra es sonido y es canción, y el arte de la poesía existió desde mucho antes que el invento de la imprenta, y por eso la poesía debe apuntar más al sentido del oído que al de la vista. La poeticidad de un texto no reside en la disposición sobre el papel, sino en la temperatura que pueda transmitir; en la capacidad evocadora o sugeridora que pueda trasladar; en la complicidad que pueda compartir con quien lee o escucha por la vía de la identificación o del hallazgo en una idea, en un sentimiento o en el modo de expresarlo. Lo principal es la cadencia con la que el autor pretende enriquecer la musicalidad interna del poema. Y para eso, los factores de métrica y rima (si los hay, pues el verso libre construye de otro modo su propio ritmo) deben ser aliados, y no enemigos del poeta.

Lo digo porque me parece advertir ciertos conflictos en muchos poetas actuales a la hora de intentar renovar los metros clásicos pretendiendo al mismo tiempo no ser expulsados por ello del paraíso de la modernidad. Tomemos como ejemplo paradigmático el soneto. Abusar

103

continuamente de violentos encabalgamientos —como muchos de ellos hacen— para desnaturalizar la condición de recurso fónico que tiene la rima, y esconderla tras los segmentos de lectura entre verso y verso, podría dar argumentos a quienes erróneamente piensan que tales recursos no son más que artificio y filigrana. Es como desposeer a la rima de su función de eco hasta dejarla en puro esqueleto, como si se avergonzaran de su presencia, o estuvieran obsesionados con la idea de que alguno de sus lectores o críticos pudiera pensar que no son lo suficientemente modernos.

En definitiva, siempre es bueno acudir a nuestros clásicos, pero hay que hacerlo sin complejos, buscando en ellos no un estilo a copiar, sino una influencia a asimilar, y que luego sea tu propio instinto u oficio el que te impulse a expresarte, desde la convicción de que los sentimientos y las pasiones humanas están ahora, y seguirán estándolo siempre, tan vigentes como lo estuvieron en siglos pasados. Es más probable que pase antes de moda una poética circunscrita al limitado marco de lo estrictamente moderno, según tal o cual corriente o movimiento, que otra que hable, a través de los temas de siempre, el lenguaje universal de la poesía.

Vicisitudes de la obra literaria

(16-02-2009)

El escritor es con frecuencia un individualista, alguien que precisa del aislamiento y el silencio para desarrollar su labor creativa en la intimidad, en sordo diálogo con sus experiencias y su imaginación, a solas con sus propios fantasmas. Tales ingredientes, en lenta cocción según las técnicas expresivas empleadas, irán configurando poco a poco las diferentes entregas de un universo propio, de modo que, a priori, el resultado que se vaya consolidando en la obra de un autor determinado poco tendrá que ver con los hallazgos que vayan surgiendo en la obra de cualquier otro. Precisamente la pluralidad de estilos es lo que puede y debe diversificar y enriquecer el panorama literario.

Como consecuencia, flojean casi siempre los argumentos de quienes se empeñan en agrupar a los escritores en conjuntos cerrados, en generaciones, según etiquetas, o por pretendidas afinidades que —se dice— les hacen participar de presupuestos estéticos comunes. Habitualmente no son más que excusas para reafirmarse en la militancia en grupos privilegiados que intentan seguir beneficiándose en exclusiva de los focos de atención mediática, los dineros de las subvenciones, el espejismo de próximas charlas, bolos, antologías..., grupos de amigos que se afanan en continuar echando mezcla en la masa que los une.

El objetivo de un escritor, por supuesto, no siempre es el de medrar, y en muchos casos, ni siquiera es el de sobresalir. Repito la idea fundamental de que el sentimiento gregario debe combatirse desde el mismo temblor inherente al hecho creativo. De un modo intemporal, a mí me asombra la denodada lucha del hombre con la palabra, y me gusta cuando esa lucha es silenciosa y callada. Lo que tenga que venir luego —si algo viene— , ya se verá, y complementará el solitario polo del emisor con las múltiples interpretaciones posibles desde el polo del receptor, un verdadero calidoscopio que, sin duda, aportará las mejores satisfacciones para quienes se aventuran en este fenómeno compartible que es la literatura.

A veces, con el paso de los años, una obra literaria supera los filtros del tiempo y llega a convertirse en una gran obra de referencia. Otras veces, el éxito de la obra es casi inmediato y, apoyada en la eficacia de un lanzamiento publicitario, consigue con rapidez el beneplácito de público y crítica. En ambos casos, la obra literaria puede transitar desde la isla individual del autor hasta la dimensión de una lectura compartida en el seno de una comunidad cultural que la interpreta y valora. Pero los mecanismos que pueden llegar a establecer redes horizontales son complejos, especialmente en el ámbito educativo, y de ellos hablaremos en voz baja en un próximo capítulo.

Musas urbanas

(26-02-2009)

A veces la literatura nos sorprende fuera de juego, en la calle, a la
vuelta de una esquina, en medio de un pensamiento distraído o una
animada conversación. De pronto una fachada rotulada en alguna
institución cultural nos destaca una cita, o una pintada improvisada
entre *graffiti* nos deslumbra con una idea, un aforismo, la belleza de
una metáfora, algún contrapunto que nos hace pensar o sonreír. No se
trata de la apelación que una consigna o un eslogan nos haga, empu-
jándonos a una actitud de rebelión o inconformismo, sino de una oportunidad inesperada para el encuentro de dos sensibilidades.

Podrían inventariarse los fragmentos de textos literarios que por
todo el mundo han sido trazados en muros de universidades, caligra-
fiados en patios de colegios o institutos, reproducidos en umbrales de
bibliotecas, rotulados en esquinas o en paneles de avenidas o buleva-
res, enmarcados en fachadas de hoteles, serigrafiados en camisetas,
carteles o pancartas. En mis viajes, también a mí me han acompañado
ocasionalmente la música o el aroma de unas letras, en puentes y plazas he interiorizado recitales a la intemperie; he pisado o palpado citas
de Cervantes, Quevedo, Juan Ramón, Shakespeare, Joyce, Ibsen, Neruda, Pessoa..., referencias literarias que van tejiendo una urdimbre de
sentimientos compartidos por tantas personas, en tantos lugares y en
tantos momentos.

Deambulando por mi ciudad también me he topado en placas o
azulejos, por parques y jardines, con versos de Aleixandre o de Canales, con un pensamiento de Alcántara o una coplilla de Lorca, o, como
ayer, con un delicado poema de Pérez Estrada en mitad de la calle de
su nombre, junto al árbol protagonista de un triste aislamiento en el
asfalto, ocasión que ejemplifica perfectamente un tema que yo trataba
en un capítulo anterior: el de la conexión entre el paisaje anímico interior —del escritor o el paseante— y los datos objetivos del paisaje

exterior que súbitamente se postulan como ingredientes para la creación literaria o para su degustación.

No hablo sólo de grandes nombres y de gestos de reconocimiento: cualquier ciudadano anónimo que experimente el impulso de compartir una reflexión o una imagen, un giro de expresión, un sentimiento de exaltación, una invitación a la utopía..., podría saltar de lo privado a lo común trasladando sus propios latidos al corazón del día a día, y este gesto lo hemos leído en relatos y visto en películas, pero también lo hemos descubierto algunas veces, materializado en paredes o fachadas. No está mal que las evocaciones literarias se escapen a ratos de los libros y se conviertan en elementos urbanos. No está mal que de pronto un conductor (sin ir más lejos, ayer, yo mismo) detenga el coche en la isleta central de una calle y se apiade de ese árbol que sufre de tristeza, abandono, olvido y soledad. Repito con Juan Mata (de cuyo texto "Literatura ambiente" he tomado prestada la idea para este artículo) que "me gusta comprobar que las palabras en las ciudades no sólo sirven para anunciar, prohibir u ordenar, sino para recrear la vista y hacer más grato el paseo".

Yo, desde luego, hoy siento que necesito una gran página respirable donde escribir mi mensaje, y pienso que en lugar de la tecla y este espacio virtual podría elegir el *spray* y cualquier espacio público para celebrar los dos ejes de mi aventura: mis puntos de llegada y de partida, una temática y un escenario, literatura y Málaga.

Libros y metamorfosis

(24-03-2009)

Llevo bastante escrito aquí acerca de las motivaciones del escritor, el motor que impulsa la creación literaria, pero al igual que en cualquier viaje, el ciclo de la comunicación se completa cuando hay un punto de llegada, así que ya es hora de decir algo relativo al modo en que el lector hace suyo el mensaje. Naturalmente, las cualidades del texto tienen mucho que ver con el grado de implicación que pueda alcanzar quien pretende apropiarse de una historia, comprender el sentido último de un poema, asentir o disentir en un ensayo, casi interactuar en un drama.

Hay muchas razones para encontrar recompensa en el acto de leer, entendiendo la lectura no como una mera operación de decodificación, sino como un proceso de complicidad que comienza en una libre elección, y no en una imposición. Unos libros nos pueden ayudar a indagar o averiguar cosas, y a cimentar el hábito de meditar, sopesar, calcular. Otros nos dotarán de autonomía de pensamiento favoreciendo la adopción de posturas críticas que contribuyan en la creación sólida de nuestra personalidad. Todos nos permitirán salir del reducto de nuestro mundo, y nos harán por ello más tolerantes y comprensivos, nos abrirán horizontes.

Mi trabajo como profesor de Secundaria me convierte en testigo del contacto, esporádico e irregular, que se produce entre los libros de ficción y el mundo adolescente. En esta fase de la educación resulta especialmente aconsejable intentar instaurar modos de trabajo en las aulas que inviten a los estudiantes a leer con los demás, compartir las obras objeto de lectura y hacerlas también objeto de comentario y análisis (establecer "redes horizontales" lo llamé en un artículo anterior), porque de este modo unos estudiantes pueden beneficiarse de la competencia de los otros para construir entre todos el sentido de los mensajes expresos o tácitos que contengan los libros, y puedan experimentar la satisfacción de entenderlos mejor, y de un modo más placentero.

Para los jóvenes, la música y el deporte son claramente campos de socialización, pero el riesgo de percibir la lectura como un mecanismo de aislamiento o incluso marginación se debilita o directamente desaparece cuando la literatura pone a disposición de sus usuarios todo un juego de referentes, y entre los jóvenes estas complicidades recíprocas permiten compartir sentimientos y emociones de un modo que les puede ayudar especialmente a encontrar equilibrio en su proceso de formación.

La lectura también nos acerca a lo mágico y lo simbólico, y nos lleva a la capacidad de crear y de fabular. Damos por sentado que la fantasía de una narración de literatura juvenil puede transmitirse de tal modo a través del entusiasmo lector que la imaginación del escritor se transforma en la de quien va configurando su personal creación fantástica, ahondando en ella más y más cada vez que pasa una página. En la ilustración de este artículo, por ejemplo, la dimensión fantástica ha traspasado la puramente física del libro incorporándose a la misma naturaleza del lector.

Digamos que mi condición de profesor no ha podido dejar pasar la oportunidad de dedicar aquí un capítulo a los beneficios de la actividad lectora (ahora que se acercan preparativos especiales para las jornadas en torno a la festividad del Día del Libro, dentro de un mes), pero, en realidad, cualquier persona que haya hecho suyo el descubrimiento feliz de la literatura es capaz de rememorar, como yo lo hago, experiencias altamente gratificantes obtenidas gracias a la lectura. La sensación de vacío que a menudo siente un lector cuando cierra un libro al acabar nos habla con claridad de lo bien que lo pasaba mientras iba leyéndolo, adentrándose en su mundo, aprendiendo con él, identificándose con sentimientos y personajes, compartiendo sus hallazgos.

¿Qué nueva metamorfosis le sobrevendrá a la criatura de Stefan von Reiswitz cuando cierre, por fin, el libro que acaba de oír y leer? Yo, desde luego, amable lector, querido desconocido, me conformo con que algún nuevo elemento, efímero, se instale en su interior para servir a su pensamiento como materia prima, o como argumento para alguna conversación, si es que ha conseguido llegar, sin esfuerzo, a este punto final.

'Lector de audiolibro', escultura de Stefan von Reiswitz en el Parque del Oeste (Málaga).

Poesía en la basura

(25-04-2009)

Desgraciadamente, muchos jóvenes se han contagiado de la pereza ambiental que añade nuevas cargas de pasividad e indolencia a cada nueva entrega de ocio. Eso de cultivar el espíritu suena a meditación trascendental, una moda antigua situada a años luz de su universo actual de entretenimiento fácil y compromiso nulo.

El lenguaje poético, como el de ficción, con frecuencia supone una lectura compleja y exige que el lector se esfuerce en descifrar elementos del mensaje para poder completar un ciclo de verdadera comunicación y disfrutar así más y mejor al comprender el sentido último del texto. Una de las aptitudes básicas para convertirse en un buen lector es la de inferir, saber leer entre líneas para sacar conclusiones o establecer posibles hipótesis, adelantar los hechos, interpretar sus consecuencias.

Recientemente, intentando explicar estos pormenores junto a ejemplos prácticos con comentarios a poemas en el transcurso de un Taller Literario para alumnado de Bachillerato, un joven de diecisiete años me dijo que si él sólo es capaz de comprender un poema después de que yo le explique las claves, entonces la Poesía no sirve para nada. Sin saberlo, estaba reconociendo que todo lo que le suponga un mínimo esfuerzo intelectual es rechazable, sobre todo si adolece, además, de la recompensa inmediata de un beneficio material. Todo lo que estaba dispuesto a concederle a un poema era una única lectura, seguramente apresurada, y ni un segundo más de reflexión. Eso, como una deferencia antes de condenar a la poesía a los infiernos y quedarse tan pancho (y tan vacío).

Poco después, en el café de la sobremesa, la intervención de aquel muchacho me hizo recordar la triste imagen del busto dedicado al poeta Jorge Guillén asomando entre los demás restos en la escombrera ocasionada por unas obras de remodelación en el Paseo de La Farola.

Ocurrió hace pocas fechas y pudimos ver la fotografía en todos los periódicos malagueños. La Poesía en la basura.

Al menos, cuando acaben las obras, usted volverá, don Jorge, a su ubicación frente al Matisse constante en el azul del horizonte de las aguas de nuestro puerto y nuestras playas (en su imagen malagueña, por una vez, el pintor de guardia no es Picasso), pero ¿cuándo volverá para nuestras jóvenes generaciones la cultura del esfuerzo, la apreciación de la belleza, la sensibilidad estética, el amor por la poesía? ¿A las "cuándo" en el reloj, don Jorge, si el mundo está mal hecho?

Apariciones primaverales

(15-05-2009)

Estos días los libros cobran presencia en los telediarios, se amontonan en escaparates invitadores incluso en horario nocturno, se les aparecen por el Parque a los paseantes inadvertidos, lucen sus etiquetas de descuento en los tenderetes improvisados en colegios e institutos, recuperan opciones como posible regalo. Los escritores firman algunos ejemplares, charlan con los libreros, intentan estimular a las generaciones jóvenes de la mano de maestros y profesores, acompañan luego a las autoridades para inaugurar bibliotecas, y en las fotografías aún les dura la cara de asombro que pusieron antes al ver a ese fantasma que siempre es el lector, y tener que escribirle una dedicatoria repetida.

En efecto, si antes dije que algunos libros se les aparecen a los transeúntes, a algunos escritores se les aparecen los lectores. Todas esas apariciones son necesarias para redondear el negocio: dar en primer lugar notoriedad al libro en todas las tribunas culturales (aunque sólo sea por costumbre primaveral, y sólo por unos días), atraer luego a los autores de renombre con ferias atractivas y bien organizadas (aunque para eso haya que cambiar de fechas), e intentar seducir finalmente al público esmerándose en la programación de los actos, los anuncios de firmas y todo tipo de presentaciones y promociones en el mercado editorial. Todo valga y esté bien empleado si se propicia la epifanía de un primer encuentro entre una buena obra y un lector predispuesto. Valga toda la parafernalia, que de buen grado admito yo también en mi artículo, pese a haber escrito hace un momento las palabras *negocio, feria y mercado* en el mismo párrafo.

Fuera de nuestros límites inmediatos también se dan situaciones altamente reconfortantes y se organizan eventos con muy meritorias intenciones. Por poner sólo un ejemplo europeo y otro americano, los casos del pueblecito galés de Hay- on-Wye y de la ciudad colombiana

de Cartagena de Indias levantarían la moral del más insistente prego-
nero de la pretendida futura defunción del libro como objeto físico,
herido de gravedad —según dicen— a manos de los soportes informá-
ticos.

Contrarrestando el conocido anatema del pasado malagueño
como espacio urbano de una única librería en medio de numerosas
tabernas con un esplendoroso presente en el que el número de flore-
cientes establecimientos en torno al interés por los libros y la literatura
hace palidecer en esa minúscula y adorable villa al ridículo número de
pubs disponibles, hace ya más de dos décadas que se congregan allí,
cerca de la frontera norte con Inglaterra, millares de personas para
asistir a conferencias de escritores, académicos y ganadores del Premio Nóbel, cuyas intervenciones se anuncian en pequeñas pizarras con
rótulos de tiza y se celebran con asombrosa puntualidad en modestas
carpas, unidas unas a otras por senderos embarrados y señalizados
manualmente.

En Cartagena de Indias es destacable el fervor de un público que
no se arremolina en torno a héroes del cine o a cantantes o grupos
musicales, sino que pagaría por poder escuchar a sus escritores prefe-
ridos recitando sus poemas, hablando de sus novelas o debatiendo
sobre la creación literaria, y que exhibe su inquebrantable fe en la
cultura a través del fortalecimiento de las bibliotecas y el fomento de
los clubes de lectura. En ocasiones, sin embargo, el exceso de proto-
colo y el poderío de los fondos y recursos no se corresponde con el
alto índice de modificaciones y cancelaciones.

Aún con gran economía de medios, combinando el entusiasmo
con la modestia se puede aspirar a la eficacia. Hay que huir de tanto
artificioso aparataje al servicio de la imprecisión. En Málaga podríamos
sacar enseñanzas, y continuar en las líneas de trabajo apuntadas en la
novedosa Noche del Libro el pasado 29 de abril. Sólo es cuestión de
replantearse las prioridades, y esperar a ver qué se nos aparece el año
que viene.

Imágenes

(10-07-2009)

Hoy las prisas y la ansiedad nos empujan a lo inmediato de tal manera que puede afirmarse que nunca antes la inestabilidad y la impaciencia fueron aparentemente tan consustanciales al espíritu humano, ni se encontraron tantas dificultades para remansarse un poco con la lectura, pongamos por ejemplo, de un buen poema. Corren los tiempos que corren más que ningún otro tiempo.

La sociedad actual se basa, además, preferentemente en el dominio de la imagen, por lo que son los estímulos visuales los que provocan buena parte de nuestras respuestas individuales. La literatura, sin embargo, sitúa a la vista al mismo nivel que los demás sentidos, proporcionando la mejor explicación posible al aforismo que asegura que una imagen vale más que mil palabras. En efecto, una imagen (literaria) es una invitación al ejercicio intelectual de quien la interpreta, y debe valerse de la precisión léxica para condensar su propia riqueza a modo de destello o fogonazo, circunstancia estéticamente llamativa, pero no por ello menos identificable o asimilable.

Me parece conveniente, entonces, recordar a los lectores que, hablando de literatura, entendemos por *"imagen"* el hallazgo que hace posible que se establezca un paralelismo entre la forma expresiva del emisor y el bagaje sensitivo del receptor, produciéndose la comunicación de un modo inusual, pero igualmente eficiente. *"Imagen"* e *"imaginación"* tienen la misma raíz lingüística, de modo que los recursos de estilo pueden dirigirse a cualquiera de los, por así llamarlos, *"sentidos del alma"*. Así, por ejemplo, cuando Miguel Hernández nos resume con una referencia al sentido del gusto toda la amargura de una niñez dura y difícil en la imagen de la *leche de tuera* que dice que le dieron mamar; o cuando García Lorca incita a nuestra inteligencia para comprender que los *saltos jabonados de delfín* hacen alusión a un tacto escurridizo en el fragor de la lucha, del mismo modo que el *tambor del llano* justifica su sentido figurado en el oído de quien escucha el galope de los caballos; o cuando Antonio Machado insiste en la evocación de sus recuerdos apelando directamente al olfato del lector al hablar de *"frescos naranjales / cargados de perfume, y el campo enverdecido, / abierto a los jazmines..."*, del mismo modo que dibuja la curva del río con la metáfora del arco de ballesta, gracias a la vista que disfruta desde algún cerro cercano. Una imagen estrictamente visual puede llegar a ser equívoca (¿qué expresa la ilustración de la siguiente página con mayor intensidad, dureza o fragilidad, permanencia o fugacidad?), y en cambio la naturaleza de una imagen literaria puede enriquecerse con la complicidad de todos los sentidos.

En su muy conocido poema *"Palacio del cinematógrafo"*, Pablo García Baena se sitúa en el escenario por antonomasia de las imágenes visuales (los fotogramas de las películas) para enriquecer el texto con una serie de imágenes literarias que consiguen que la evocación del cine sea más completa a través de la imaginación que a través de lo que cualquier pantalla pudiera mostrar: los gritos del sioux o las palabras declamadas por el histrión —oído— , la sangre grasienta resbalando gorda y tibia —tacto— , el vino de oro que quema entre los labios —gusto— , o la mención - a un tiempo olfativa y visual —de los tulipanes rojos. Todo mezclado en la fiesta sensitiva que recurre al amor como factor de cohesión.

Detenerse, pues, en las palabras para degustar la poesía desentrañando sus fibras no debería ser algo excepcional, ni aún en los tiempos que corren, de estrés y sinsentido. De vez en cuando las palabras de algún buen poeta, o tal vez las de algún esforzado articulista que nos ayude a rastrear las claves de la esencia poética, pueden acompañarnos en nuestro intento de rehuir el reclamo materialista de lo inmediato a cambio de una fundada esperanza en alcanzar la esquiva, pero intensa, recompensa de lo diferido.

Fotografía de Chema Madoz

Mentiras verdaderas

(29-07-2009)

La costumbre de contar historias responde a la persistente necesidad de oírlas que tienen todos, a todas las edades, siempre, en todas las épocas. Desde Aristóteles los tratadistas han venido hablando de la verosimilitud como un requerimiento básico para aspirar a que quienes oyen los detalles o ven las escenas de una narración puedan identificarse con los avatares de sus protagonistas, y de esta manera pretenda hacerse factible lo que es ficticio, y pueda conseguirse que lo irreal parezca real.

A través de la literatura, del cine, el teatro..., incluso de la música o la pintura, las historias se cuentan por muy diversos procedimientos y con diferentes técnicas. Empezando por un minimalismo imaginativo, un fraseo musical de flauta puede evocar el viento que sopla entre las hojas de la arboleda, al igual que un susto o un peligro puede representarse con un sonido súbito de percusión, por ejemplo, y en un cuadro costumbrista la escena también presentará indudables valores narrativos. Siguiendo por el cine, un arte joven y multidisciplinar que hace mucho más evidente el tejido de cualquier relato al servicio de un guión, en la interpretación del receptor empieza a tener significación tanto lo que se cuenta explícitamente como lo que no se muestra porque se sobreentiende o voluntariamente se omite.

Pero a lo largo de los siglos, la preceptiva literaria ha contado con una especie de monopolio con la épica, la lírica y la dramática clásicas. Los lectores aceptamos la convención de que los animales puedan hablar en las fábulas porque esta incompatibilidad con la realidad más primariamente empírica no se opone al objetivo final de extraer una enseñanza moral, que es lo que puede servirnos. Los espectadores de cualquier tragedia se encogen hasta el punto de las lágrimas pese a la convicción de que el actor que acaba de expirar ante sus ojos se levantará a continuación, sonriente y satisfecho, para agradecer los aplausos. En un poema de Ángel González, ante la pregunta que una voz adulta le hace a un niño interesándose por los motivos por los cuales llora al leer un libro si sabe que todo lo que está escrito en él es mentira, el niño le responde con candidez y clarividencia que aun así, lo que él siente lo siente de verdad.

El modo en que los lectores de García Márquez o Laura Esquivel aceptan con la máxima naturalidad el hecho de que nazcan niños con cola de cerdo en el seno de una determinada familia, o una nube de mariposas acompañe siempre a un determinado personaje, o un acercamiento íntimo entre un hombre y una mujer derive en un incendio acompañado de pirotecnias a lo largo de varios días, no desmerece la credibilidad de los autores ni minimiza el interés con que se va siguiendo la lectura de sus obras porque todo el mundo es capaz de reconocer los símbolos que añaden sus ingredientes inesperados para transmitir las ideas de una maldición para una estirpe, la existencia de un mundo propio, o la intensidad extrema de un encuentro carnal y un amor arrebatador.

He puesto ejemplos del llamado *realismo mágico* para terminar con la idea de que una suerte de magia de ida y vuelta también interviene en el proceso de contar una historia con una técnica y un estilo determinados, y el modo y la predisposición con la que se percibe, porque, cuando conectan de verdad, la complicidad entre el escritor y el lector ni siquiera se resiente con la introducción de elementos que no son verosímiles. Digamos que, como en una parábola milagrosa, en la buena literatura todas las mentiras acaban siendo verdaderas.

Letras animadas

(17-08-2009)

En una de sus citas más famosas, Albert Einstein aseguró que "la imaginación es más importante que el conocimiento". Sin embargo, se trata de dos fuerzas que no deben presentarse como excluyentes, porque en muchos casos son precisamente complementarias, como lo son la intuición y la razón, la novedad de lo sorpresivo y la seguridad de lo previsible, facultades y circunstancias todas ellas necesarias para ir creciendo de un modo equilibrado. Gracias a la imaginación de muchos escritores del pasado hemos ido aumentando nuestro conocimiento de la historia.

Eligiendo sólo el siglo XIX como ejemplo, hemos presenciado con Dickens el despegue de la revolución industrial asistiendo a todo un catálogo londinense de rigideces, con usos refinados y crueles, en unos años decisivos para el desarrollo tecnológico posterior en toda Europa, y en esa misma época hemos viajado con Dostoievsky por las frías calles de un Moscú miserable y mágico, o hemos sintonizado con los diferentes caracteres, ociosos o hacendosos, de burgueses y campesinos en París y las villas de su alrededor gracias a los cuentos de Guy de Maupassant. En España las novelas de "Clarín" y Pérez Galdós nos detallaron todo un entramado social en torno a las peripecias de los personajes, y gracias a ello supimos incardinar los diferentes patrones de comportamiento, modas, costumbres e incluso modos de expresarse oralmente, según los contextos correspondientes a determinadas coordenadas socioeconómicas y culturales.

Lo dicho hasta ahora podría repetirse con muchos otros autores, y prácticamente en todas las épocas. La literatura, pues, se convierte en un modo diferente (más ameno, desde luego, que consultar archivos y revisar códigos legislativos o tratados de historia o sociología) de explorar los modos de vida y relación a lo largo del tiempo. Asomarse a ella es como visitar las sucesivas plazas mayores de todos los pueblos y civilizaciones que han ido existiendo desde que el mundo es mundo y se dispone de algún modo de dejar constancia escrita de su paso por él. Leer esos libros clave de la historia de las diferentes literaturas nacionales supone empaparse del agua clara de tantos y tantos afluentes que acaban reuniéndose en el curso común del río que a todos nos lleva. Es como si la urdimbre de tantas historias pequeñas individuales fueran entretejiendo la historia grande general.

La palabra griega *ánemos* significa "viento, aire que se mueve", pero por extensión puede llegar a significar también "fantasma, espíritu". La intersección se encuentra en aquello que existe, pero no se aprecia porque es invisible. Muchas veces podemos percibir la caricia de la brisa aunque no la veamos del mismo modo que nos parece advertir la presencia de alguna dimensión espiritual que nos acompaña. Por eso "animar" equivale a "dar vida", porque el aire y el movimiento denotan la respiración y la actividad necesarias para vivir, y por eso las "ánimas" son las almas —o las conciencias— que están ahí, no se sabe dónde.

Consecuentemente, un buen libro es capaz de animar poco a poco la vida de sus personajes fabricando con su ambientación una especie de aire propio que también acaban respirando los lectores. La mano del autor siempre está detrás, aunque pase desapercibida; es la técnica del escritor la que nos cuenta y nos dibuja su historia con imágenes, descripciones y diálogos. Los personajes no son actores que se mueven delante del lector, sino potencialidades que van concretándose dentro de él, según las interpretaciones que les va construyendo para hacerlos respirar con un aire propio, y así cada personalidad descrita en el libro encuentra una cara diferente gracias a la imaginación de cada lector. Los sucesivos capítulos no son tiras de dibujos animados, sino conjuntos de letras animadas, signos agrupados en palabras, y éstas a su vez relacionadas entre sí en oraciones que hacen posible la implicación afectiva y el enriquecimiento cultural, con lo cual volvemos a los dos polos generadores del principio de este artículo, el subjetivo y el objetivo, el individual y el colectivo, la imaginación y el conocimiento.

Literatura de diario

(07-09-2009)

A muchas personas les asusta la grandilocuencia, y hablan de la Pintura, la Música o la Literatura con un respeto excesivo, sin comprender que todos los campos artísticos guardan hallazgos al alcance de su sensibilidad. En ocasiones, ser iconoclasta o ser rebelde equivale a ofrecer al paladar de todos los exquisitos sabores reservados para unos pocos, y por eso, especialmente a la literatura hay que bajarla del pedestal, sacarla de los libros para saber apreciarla igualmente en sus dimensiones cotidianas. La mejor manera de hacerlo es quitarle la ele mayúscula que la entroniza como una de las grandes Bellas Artes, trono que la dignifica pero que también la aleja de la calle, convirtiéndola en una señora fría y distante.

Hay personas que jamás han leído una novela, y aseguran no entender la poesía, y sin embargo utilizan con soltura los recursos literarios al emplear con naturalidad en su día a día el lenguaje figurado con su correspondiente fuerza expresiva. Esas personas no sabrían definir el concepto de "metáfora", pero dicen que tal muchacho es un *gallina,* o tal muchacha un *bombón,* y cualquier conferencia les parece un *ladrillazo.* Dicen igualmente que fulanito está *como una cabra* o que *se sube por las paredes,* sin haber oído nunca los términos "símil" o "hipérbole".

Recientemente, en las palabras de despedida improvisadas por una compañera del instituto a quien los demás habíamos sorprendido con un detalle de gratitud y reconocimiento, pudimos comprobar que a menudo esa prevención de quien empieza un discurso diciendo aquello tan socorrido de "yo no sirvo para decir las cosas con belleza o elegancia", "yo no soy buen orador" o "a mí no se me da bien la escritura"..., no es más que una pose o un parapeto, y en cambio la posibilidad de conectar con quien escucha o lee no responde a una actitud de impostura, y desde luego depende de presupuestos éticos más que estéticos. Esa profesora consiguió emocionarnos a todos con sus "torpes palabras" al igual que un escritor puede imitar el habla vulgar de determinados personajes, pero puede y sabe también destilar autenticidad con el modo en que los hace comportarse. Igual de grande puede ser la literatura que se descubre en el ambiente rural de la mano de los rudos campesinos castellanos de Miguel Delibes que la que se encubre en el mundo palaciego de la de los refinados caballeros y las encorsetadas damiselas británicas de Jane Austen.

Las cuestiones previas de educación o las circunstancias de la envoltura social nunca deberían ser una razón, ni siquiera una excusa, para distanciar a las personas del asombroso descubrimiento de que su arma más incisiva, su juguete más entretenido, su flor más delicada…, su mejor instrumento en definitiva, no tienen que adquirirlo en ninguna parte porque ya disponen de él a través de la palabra. A todos nos viene de serie la facultad de sentir y la posibilidad de expresar lo que sentimos. Sólo siendo conscientes del enorme valor del potencial que todos tenemos podremos aspirar a desarrollarlo en cierta medida, a pulirlo disponiendo las palabras con nuevas intenciones, para que de pronto aquella persona que siempre distinguió su sentido del humor con una fina ironía pueda seguir jugando con el doble sentido de las palabras dotándolas ahora de cierto brillo literario, o aquella otra que hablaba sin parar pueda detenerse en la polisemia de sus queridas palabras para llenar silencios nuevos creando por escrito nuevas asociaciones y elaborando sorprendentes imágenes.

Saquemos en conclusión que todos, altos o bajos, guapos o feos, sociables o introvertidos, cultos o iletrados, todos vosotros, amables lectores, todos nosotros, animales racionales y pasionales, debemos charlar, comunicarnos con nuestros semejantes, usar las palabras siendo conscientes de todas sus cargas y valores, porque, como es sabido, la conversación, con mayúsculas o no, es otra de las Bellas Artes.

Bonitas palabras, palabras feas

(04-10-2009)

Nunca conviene asociar arte y belleza en términos de igualdad. La relación no es unívoca ni exclusiva, y de hecho, modernamente la ecuación se complica cada vez más con múltiples factores e incógnitas por resolver.

La única misión de los músicos actuales no es componer bellas melodías. ¿Dónde está la belleza en muchas de las obras experimentales del francés Edgar Varese o de nuestro Luis de Pablo? Ellos probablemente buscaban crear otro tipo de sensaciones, o incluso provocar reacciones entre los oyentes. Por otra parte, la fuerza simbólica de muchas grandes esculturas actuales se apoyan en la disposición de los planos y las texturas de los materiales para despertar evocaciones o establecer relaciones de complicidad con el espectador, como en ese espectacular conjunto del "Peine del Viento" de Eduardo Chillida, que interactúa con el paisaje circundante entre rocas y oleaje, con el olor a sal y las caricias o las bofetadas del viento en el rostro, para completar su propio mensaje, que se revela diferente para cada espectador, dejando a la hipotética belleza en un mero reducto subjetivo.

De igual manera, en todas las demás artes la belleza deja de encarnar una función primordial para convertirse sólo en un elemento más, que no tiene por qué estar presente en todos los casos. ¿Qué cabida tendría un movimiento como el *feísmo* en una interpretación caduca de los fenómenos pictóricos? ¿qué resistencias no seguirían encontrando todavía los artistas plásticos que lucharon tanto a lo largo del siglo pasado para escapar de la estrechez de lo figurativo abriendo dimensiones abstractas en base a elementos como línea, color, ritmo, mancha, masa, valoración de las superficies y creación de formas y relación entre ellas?

En lo referente a la literatura, la cuestión se complica con un aspecto crucial que tiene que ver, directamente, con su materia prima, es decir, con las palabras. Los tiempos en que se ensalzaba solamente un tipo de lenguaje edulcorado por fortuna pasaron a la historia, y el escritor no debe sentirse atado a la idea de expresar su mensaje a través de bonitas palabras y recursos que se sumen a ese concepto de belleza en cuanto a ritmo y musicalidad. Al contrario, los lenguajes poéticos pueden mover a la indignación destilando un sentido rotundo de protesta, pongo por ejemplo, al igual que los lenguajes dramáticos y narrativos deben disponer sus textos con vocación de espejo, y conforme a los dictados de la verosimilitud, no pueden achantarse ante la perspectiva de recoger palabras malsonantes, expresiones hirientes, tabúes de uso común. Personajes que recientemente han cautivado a público y crítica, como la peculiar Lisbeth Salander de la exitosa serie Millennium, del sueco Stieg Larsson, no se cortan un pelo cuando tienen que referirse, por ejemplo, al *"Kalle Blomkvist de los cojones"*. Los tacos y demás lindezas que salen de su boca contribuyen a asentar la veracidad de un personaje oscuro y complejo, restándole impostura.

La transición natural de unas generaciones a otras va dejando aislado el comentario típico de *"¡qué bonito!"* de muchas personas mayores cuando se emocionaban al ver una película o al leer un poema, en favor del más enérgico *"¡qué fuerte!"* que hace estragos debido a la pobreza lingüística de muchos de los jóvenes de hoy. Hace unos años leí una novela que acababa de publicar un escritor malagueño, y al comentarla con su madre, una señora de edad muy respetable que por entonces era vecina mía, me dijo que le gustaba ver que su hijo pudiera desarrollar su carrera de escritor, pero que nunca le apetecía leer sus novelas porque salían "muchas palabras feas".

Cualquier lector de hoy jamás debería volver a abrir un libro impulsado por resabios aprioristicos que le hagan parapetarse tras determinadas asunciones estéticas, o peor aún, ideológicas. No hay que leer sólo para confirmar lo que uno andaba buscando (esto ocurre especialmente en el ámbito del ensayo), ni quedarse en la cuestión superficial de la delicadeza o la corrección política. Antes bien, habría siempre que aventurarse sin red al mundo al que te lleve el libro, sin activar el radar de bonitas palabras o el de palabras feas. La auténtica literatura, libre de ataduras, está compuesta únicamente por las palabras precisas, sólo las necesarias, sean las que fueren, suenen como suenen.

Retrospectiva

(19-10-2009)

A veces sacas la caja de las viejas fotos y te encuentras de sopetón con imágenes detenidas de ti mismo, alguien atrapado en diferentes momentos del pasado, radiografías del otro tú que fuiste un día. Puedes entonces sentir ternura o vergüenza, dejándote llevar por la melancolía de un tiempo inocente o por un rubor galopante ante la evidencia de una candidez exagerada o una apariencia que ahora consideras ridícula.

Este sencillo ejercicio de avance y retroceso en la línea del tiempo permite descubrir el tipo de persona que eres, según pretendas ocultar pruebas, destruir fotos (o tal vez modificarlas, si se conservan en soporte electrónico, retocando flequillos, acortando los picos del cuello de las camisas, o estrechando la campana de los pantalones), o por el contrario no tengas reparos en situar los diferentes eslabones en la cadena de un tiempo que va conformando, sin vueltas de hoja, lo que es tu propia vida.

Cuando uno tiene bien arraigada la costumbre de refugiar en el papel sus ideas y sus sentimientos a través de breves redacciones, poemas, registros en algún diario..., o se ha atrevido a intentar congelar la complejidad del mundo en la trama de relatos o cuentos, haciéndolo, además, en los años de formación y construcción de la personalidad, desde las convulsiones de la adolescencia, también es una excelente prueba de madurez revisar esos textos antiguos porque nos invita a confrontar dos medidas complementarias: lo que cabe en tu percepción actual de la realidad frente a lo que cabía en tu cabeza y en tu corazón cuando te sobraban ilusiones y te faltaban desengaños, cuando no imaginabas la dureza de tantas aristas que han ido sin embargo erosionándose con experiencias posteriores y suavizándose con el paso de los años, llegando a intercambiar tantas veces los valores de

idealismo frente a los de pragmatismo, la rebelión frente al escepti-
cismo.

Hay bastantes escritores que reniegan de sus escritos de juventud
porque piensan que pueden empañar los posibles estudios críticos
sobre sus respectivas obras, cimentadas en perspectivas sólidas de los
hechos, deudoras de interpretaciones realistas y responsables, y de
análisis aquilatados de causas y consecuencias. Parecen querer ignorar
que la evolución es lo que siempre mide cualquier tipo de progreso, y
que precisamente la evolución psicológica de un joven autor es la que
ofrece mejores mimbres para el crecimiento en paralelo de su producción.

Si la vida es, como debe ser, materia prima y documentación de
referencia para todo escritor, se va creciendo literariamente al mismo
ritmo que se va creciendo con los años, y es un lamentable error pretender amputar partes de una historia que es genuina y exclusivamente tuya. No podrías conseguirlo, de todas formas, porque aunque
rompas aquel poema o quemes aquella fotografía, nadie podrá evitar
que en la intimidad de tu silencio más cerrado sigas recordando la
transparencia de aquella primera metáfora, o que aquellas primeras
preocupaciones juveniles te sigan interrogando desde la limpieza de
unos ojos grandes y sin ojeras que aún asocias con un tiempo que
viviste tan intensamente.

De viajes interiores

(11-11-2009)

Se habla y se escribe mucho sobre la literatura de viajes. La historia como periplo iniciático, un tobogán que te lleva de un lugar a otro, transportando al lector desde un estado de ánimo inicial a otro final. Nada que objetar si cada uno vive la experiencia con cada libro a su manera, porque en realidad el cacareado "viaje interior" es una sensación más que un trayecto, y depende, por lo tanto, de impresiones subjetivas, no de realidades físicas.

Cuando la abundancia de ediciones críticas amontonan sus acotaciones y referencias a pie de página intentando conducir al lector por una única senda interpretativa, explicándole qué debe sentir en tal o cual momento, o a qué conclusiones debe llegar con las reacciones de tal o cual personaje, en lugar de enriquecer el universo literario que propone una obra significativa, puede limitarse el insospechado alcance de su radio de acción, porque las pasiones y las emociones fuertes gustan de transitar por caminos no hollados con anterioridad.

Es el mismo error bienintencionado de aquel explorador que se aventura por territorio virgen, a solas con su suerte y sus intuiciones, y a la vuelta de su viaje, movido por la intensidad emocional o las dimensiones espirituales de las experiencias vividas, se apresura a publicar una guía —llámese "libro de viaje"— con la sana aspiración de facilitar a otros los mismos hallazgos paisajísticos, similares amaneceres y ocasos, parecidos peligros, idénticas epifanías. Por ese camino, se acaban pintando marcas en las rocas y en los troncos de los árboles, estableciéndose rutas obligatorias que serán recorridas por los turistas de la lectura que no seguirán el horizonte que les dicte el corazón con cada latido, sino el que les marque el milimetrado itinerario que consultarán a cada paso.

Un viaje iniciático es para cada individuo una experiencia pionera, y, para ser auténtico, ha de ser siempre nuevo. Nada hay más artificial que esas guías del caminante que recomiendan rutas concretas por países extranjeros deteniéndose en recomendar determinados restaurantes, hoteles, bares, espectáculos o excursiones, documentando, además, diferentes menús, *cocktails,* programas, propinas o rutas hasta el detalle del porcentaje o el kilómetro equis.

Un buen amigo me pedía hace unos meses que escribiese mis recomendaciones acerca de los libros imprescindibles que todo buen lector debería conocer y disfrutar. Pero si se consideran los libros como las estaciones que uno irá transitando a lo largo de la vida, recomendar las mismas estaciones en un mismo trayecto nos llevaría a repetir el error de pensar que "lea-lo-que-yo-he- leído" equivale a "disfrute-como-yo-he-disfrutado", o "viva-lo-que-yo-he-vivido". Por eso, ese asunto de hacer recomendaciones de lectura nunca me ha parecido bien del todo. Además de tratarse de algo totalmente subjetivo, no encajable por lo tanto de un individuo a otro, de todas formas cualquier guía de recomendaciones quedaría incompleta.

Para añadir más dificultades a tan difícil empresa, reconozco humildemente que hay muchísimos textos y bastantes clásicos que no he leído, y no sería ético recomendar nada "de oídas", porque parece ser lo correcto, por moda o cualquier otra circunstancia, sin juzgar yo mismo con mis propios criterios.

Precisamente trato de concienciar en temas relativos a la literatura para que cada cual pueda formarse criterios propios, pero la personalidad y el caudal de lecturas que puede caer en manos de cada uno es imposible de abordar. Cada lector puede y debe formarse su propia relación de imprescindibles, y en función de ella, podría hacer las recomendaciones pertinentes, aunque su lista sería diferente —no necesariamente mejor— a la de cualquier otro. Incluso sería diferente a su propia lista de recomendaciones si se esperara al paso de unos cuantos meses (¡y no digamos ya años !).

Permitidme, pues, queridos lectores, que en cuestión de viajes, yo respete escrupulosamente la intimidad de vuestros respectivos interiores, que son, obviamente, responsabilidad exclusiva de cada uno de vosotros.

Cada maestrillo, cuchara de palo

(14-01-2010)

Una letrilla conocida recoge muy bien una convicción que comparten muchos autores de canciones y poemas, pues "cuando las canta el pueblo (las coplas), ya nadie sabe su autor". Muchos escritores conocen esa hermosa sensación de desvalimiento cuando ven libros suyos en los escaparates de las librerías, campando a sus anchas como seres independientes, o saben que andan libres por los anaqueles de las bibliotecas o en las mochilas de los escolares. Yo he vivido la experiencia de cruzarme con un transeúnte en cuyas manos he reconocido la portada de un libro mío, y no me he acercado a él por timidez y respeto, porque yo no conocía de nada a esa persona, aunque ella sí conociera lo que un día yo sentí y escribí. Efectivamente, cuando un libro está en la calle ya no pertenece enteramente a su autor. La cabeza y el corazón de quien lo imaginó son sólo los lugares de origen, pero es su destino final lo que le da carta de naturaleza y hace que pudiera empezar a formar parte —por qué no— del equipaje de sueños de cualquier desconocido.

Igualmente, las frases hechas que son adoptadas por la rica base de datos del refranero demuestran la importancia del origen que una vez las acuñó, aunque pierden ese valor cada vez que se usan, y son por ello un buen ejemplo de la facilidad con la que el lenguaje figurado puede instalarse entre nosotros, difuminándose los créditos de la autoría. Expresiones como "En casa del herrero, cuchara de palo" o "Cada maestrillo, su librillo" nos hablan, por un lado, de incoherencias, y por otro, de peculiaridades, y nos remiten a un tiempo en el que las labores artesanales y vocacionales tenían más presencia en la vida de la colectividad. Puede que las herrerías hayan perdido peso con los modos de la vida moderna, y seguro que la función docente ha perdido prestigio social de unos años a esta parte, pero es indudable la importancia de los utensilios y los métodos en el día a día de cualquier ciudadano, resolver con qué hacer las cosas, y cómo.

Yo reconozco en mi madre, aunque ella no lo sepa, a mi primera profesora de literatura, y no sólo porque me cantara romances juglarescos, o me leyera las fábulas de Esopo, o me contara su versión de los cuentos de Andersen, sino porque también fue ella la primera persona que me habló, por ejemplo, de las tretas e intenciones de Don Juan Tenorio, explicándome con paciencia qué era eso de ser un *don-juán,* expresión que yo había leído en alguna parte y que había llamado mi atención de niño inquieto y preguntón. Otros términos aportados por la literatura nos conducen a los grandes autores: un sentimiento *quijotesco* nos lleva al idealismo del glorioso personaje de Cervantes; ser un *romeo* equivale a ponderar el atractivo del amor que siente y puede hacer sentir un joven tan hermoso y apasionado como el personaje de Shakespeare; y una *celestina* es una alcahueta, como en el clásico de Fernando de Rojas, pero además, por extensión, es cualquier persona correveidile que intercede y moscardonea en amores ajenos. Todos esos ejemplos son, ni más ni menos, arquetipos sociológicos, valiosos préstamos que la literatura ha hecho al acervo de nuestro léxico común, ya que un mérito no buscado de los grandes escritores es el de proporcionar en sus obras personajes con una aureola tal que luego puede ser elevada a categoría.

Según la teoría semiótica de la literatura, incluso las llamadas "asociaciones impertinentes" pueden llegar a convertirse en lugares comunes, como pueden singularidades excepcionales derivar en tópicos. Y en ocasiones lo hacen transitando por territorios conocidos para llegar a combinaciones nuevas, clave esta última con la que le dejo ya, querido lector, en disposición de explicarse mejor el extraño título de mi artículo de hoy.

Disfraces y ejemplos

(26-02-2010)

No es que vaya uno por las calles buscando temas para sus artículos, pero hay veces que te saltan a la cara y no puedes esquivarlos. Hace unos días, en plena ebullición del Carnaval, una amable algarabía de disfraces interrumpió mi tranquilo paseo a la salida de un colegio, y en el mismo grupo de chiquillos, mientras sus respectivos padres y madres charlaban brevemente, pude ver a un palidísimo conde de afilados colmillos que no paraba de agitar su capa bicolor junto a un sonriente jorobado, portador de una corona y un cetro ridículos, y una niña hiperactiva con peluca rubia que les mostraba su conejo de peluche y, entre risas, les invitaba a una fiesta de no-cumpleaños. Sé muy bien que cualquiera de esos chavales utiliza referencias visuales para compartir los universos que les presentan las películas, la televisión y los dibujos animados de un modo superficial, y que un porcentaje muy alto de niños y niñas habrían pronunciado ya, nada más leer u oír las descripciones anteriores, los nombres de Drácula, Quasimodo y Alicia, sin conocer a fondo sus historias con dramas personales, burlas crueles y conflictos del subconsciente.

Pero una cosa es el imaginario colectivo, y otra el bagaje cultural, y desgraciadamente ya no sería tan alto el porcentaje de alumnos de instituto que fueran capaces de pronunciar sin titubeos los nombres de Bram Stoker, Victor Hugo o Lewis Carroll en calidad de padres de esas criaturas. A poco que uno vaya rascando por ahí, la literatura está en el origen de casi todo lo que nos mueve a la fabulación y a la fantasía, que son territorios sin fronteras y no entienden de nacionalismos excluyentes. Por eso podría seguir poniendo ejemplos (y disfraces) de *piterpanes y heidis y frankensteins y dartañanes y robinsones...* a niños españoles, aunque los apellidos Barrie, Spyri, Shelley, Dumas o Defoe no se incluyan entre los autores de nuestra gloriosa literatura nacional. Y pese a tan generalizada difusión, repito mi sospecha de que no muchos estudiantes sabrían ponerle a esos apellidos los nombres correctos, o al menos señalar cuáles corresponden a hombres, y cuáles a mujeres.

Huyamos de nuevo del enorme poder intermediario de la imagen y busquemos vigorosos ejemplos, válidos esta vez para el mundo adulto, que nos hagan interrogarnos acerca de qué es lo que tendrá la literatura que resulta capaz de movilizar nuestras vidas proporcionándoles motores, ilusiones, excusas y entretenimientos con relativa facilidad. Para evitar las aureolas míticas del héroe o el aventurero, que siempre son elementos fácilmente asimilables por cualquier tipo de público, elegiré personajes de James Joyce, sin duda uno de los autores de prestigio universal más difíciles de comprender y que más trabajo cuesta digerir, personajes anodinos que no están mediatizados por una imagen determinada, sino que se mueven al vaivén de las palabras según los experimentos de Joyce con el lenguaje narrativo.

Algo de especial habrá cuando cada dieciséis de junio una cantidad insospechada de ciudadanos se deciden a disfrazarse de personajes de la novela "Ulysses" (aunque no la hayan leído, o, como es mi caso, no hayan podido terminarla de leer), y salen por las calles de Dublín dispuestos a repetir el itinerario que la mañana de ese día realizara en la ficción un tal Leopold Bloom. Algo de especial habrá, insisto, capaz de provocar que al otro lado del océano, en la cosmopolita ciudad de Nueva York, y al hilo de otra novela tortuosa de Joyce, "Finnegans wake", probablemente el libro más oscuro e ininteligible de la historia, cada noche de un trece de enero un grupo creciente de fervorosos seguidores se reúnan para leer el libro en voz alta y celebrar una especie de rito que va descifrando frases y claves secretas, especialmente referidas a los personajes de Humphrey Earwicker y esposa. Es complicado el diagnóstico, pero eso —sea lo que sea— que congrega a tantas personas, en continentes distintos, sobre todo con ocasión del *Bloomsday* pero también con la *Earwickernight,* para revisar la innovadora producción del escritor irlandés, eso, ese factor misterioso que nace como un temblor que se siente individualmente y deriva en una fiesta compartida solidariamente, es lo que quiere simbolizar en mi artículo de hoy el poder de la literatura, la magia que hace posible que incluso con propuestas narrativas de extrema inaccesibilidad, sucumban a su fascinación por igual muchos especialistas y muchas personas con escasa preparación literaria.

Si alguna vez se topan con estos libros nada convencionales, ánimo y paciencia para afrontar la ardua y asombrosa empresa de su lectura, y cuando presumiblemente decidan abandonarla, al menos bébanse una pinta de cerveza a la salud de James Joyce y brinden por la fascinación de la literatura.

Miguel y Miguel

(14-03-2010)

A mediados de los 70, mis compañeros de bachillerato y yo éramos actores de aquella película difícil que dejaba atrás el blanco y negro al mismo tiempo que la sociedad ensayaba rumbos nuevos. Años convulsos y emociones por estrenar, muchachos que se asomaban apenas, desde el instituto, a las vagas promesas de una vida en libertad. Años decisivos en que uno iba poco a poco despertando a un mundo de experiencias y sensaciones: las primeras chicas que me gustaron, mis primeros pespuntes de concienciación social y política con la muerte reciente del dictador., y entre las paredes del aula, mi primera apreciación del hecho literario y el atrevimiento de escribir mis primeros cuentos y poemas.

Aquel curso de 1975-76, mi profesor de Literatura en el "Sierra Bermeja" nos encargó, como trabajo escolar, la confección de nuestra propia revista literaria. Aquel curso oí de sus labios el nombre de Miguel Delibes por primera vez; poco después, mi madre me regaló un ejemplar de "El camino", y en COU pasamos más de cinco horas con Mario. Después, a lo largo de mi juventud y madurez, yo sentía que la prosa de Miguel Delibes me acompañaba con muchas de sus páginas y en algunas adaptaciones a cine de sus novelas, al igual que hoy me acompañan muchos de sus títulos en mi biblioteca particular.

También aquel curso de 1975-76, el mismo profesor nos propuso un trabajo en equipo sobre poesía que incluía la exposición posterior ante los compañeros, y la audición de poemas y otros testimonios. Mi grupo eligió a Miguel Hernández, y mi aportación personal —con el descaro que da la inconsciencia— fue buscar en la guía telefónica el número de un poeta malagueño del que mi tío hablaba siempre muy bien, y concertar una cita en su casa para realizar una entrevista. Así fue como conocí a Alfonso Canales, tras cuyas palabras empecé a conocer de verdad a Miguel Hernández, ayudado por las canciones de

Joan Manuel Serrat, que subrayaban muy bien la intensidad emocional de toda su producción.

Quienes siguen mis colaboraciones aquí saben que no me gusta que los motivos de mera actualidad dicten la línea de mis reflexiones, que quieren ser libres y pueden apoyarse en algún punto del presente, pero que siempre buscan una trayectoria en el tiempo. Este año de 2010 suena mucho el nombre de Miguel Hernández con motivo de la celebración del centenario de su nacimiento, con actos institucionales, iniciativas académicas y nuevas y hermosas canciones de Serrat; también está de actualidad el nombre de Miguel Delibes por el triste motivo de su fallecimiento, con la consiguiente revisión de su obra y su legado. Yo he querido unirlos hoy en este artículo porque en mi caso el amor por la narrativa y por la poesía viene de largo, y ellos dos han sido siempre faros que han estado ahí, iluminando mi camino. Dos maestros de nuestro idioma y dos puntales de nuestras letras en el siglo XX, dos hombres buenos y sencillos apegados a su tierra y comprometidos con su tiempo, un hombre de campo y de ciudad, culto y amante de la naturaleza, y un pastor autodidacta que supo evolucionar en su estilo y en sus convicciones e ideales.

La historia se repite, y ahora soy yo el profesor que ve pasar por sus clases a montones de adolescentes con su personalidad en ciernes y sus propios caminos iniciáticos a cuestas, dispuestos a descubrir nuevos horizontes y apasionarse con nuevos héroes. En el caso de los dos Migueles, elegir bien los textos no es difícil; yo, por mi parte, especialmente este año, intentaré elegir bien las palabras cuando les hable de ellos.

Poesía nuestra de cada día

(27-03-2010)

El domingo pasado se celebró, dicen, el Día Internacional de la Poesía. Lo aseguran las agendas culturales y lo confirman los infalibles recordatorios electrónicos del mundo virtual, aunque yo no he notado especiales repercusiones en las caricias de la brisa, los murmullos del parque o los colores del ocaso. Tampoco se han normalizado las habituales alteraciones de la primavera recién inaugurada. Quiero decir que un título simbólico como ese no ha repercutido en lo más mínimo en el día a día de quien vive pendiente del azar que guía sus pasos, notando en cada uno de ellos la ausencia que destilan los segundos, y sintiendo que le viene al alma un gusto de amargura o un soplo de felicidad, de asombro o de rabia., y a la boca un silencio entre el gentío. Cualquier héroe anónimo podrá permanecer ajeno a la efeméride, aunque de seguro encontrará ocasiones para detenerse a pensar o a sentir, arrojando sobre el tiempo y los sentidos su propia condición de antepasado.

Por muy ingeniosa que sea, yo no estoy de acuerdo con la célebre cita de Yassin Bennani que dice que "la poesía es como los anticonceptivos porque si no tienes con quién usarla, no sirve de nada". Para mí, la poesía no es un instrumento ni un objeto mercantil, ni un arma (cargada o descargada), ni un concepto que encierra valores prácticos o dogmáticos. La poesía no ha de usarse para nada, sino que transpira, o no, según los individuos y las circunstancias. Es enemiga de tópicos y prejuicios, y se esconde entre las células de la epidermis. Está, por lo tanto, en la piel del mundo y es parte constitutiva, invisible pero fundamental, de todo cuanto sucede o podría suceder (y empleo este verbo para subrayar la sucesión de momentos que definen a la poesía, como quería Antonio Machado, según la presencia de la palabra en el tiempo).

Esta idea de situar en paralelo la vigencia de la poesía con el avance del tiempo puede conducir a negar la médula intemporal de la poesía, lo cual sería una grave equivocación. Una cosa es el viaje compartido, porque la vida fluye en cada segundo y la poesía va con ella, y otra pretender desvincular el pálpito que ha acompañado al hombre desde el pozo de los orígenes de la historia, del signo que impone en las sociedades modernas el avance de los tiempos.

Leo con creciente preocupación los trabajos de recortar y pegar que hacen mis alumnos de Secundaria, y constato que, según la Wikipedia, el papel que juega la poesía en el siglo XXI se encuentra ligado al desarrollo tecnológico y científico, y así surgen nuevas corrientes de poesía, o formas nuevas de manifestación poética, y se nos habla de engendros como la biopoesía, la metapoesía o la poesía transmodernista. Miedo me dan tan forzados vanguardismos.

En marzo del año 2000, al mismo tiempo que la UNESCO se empeñaba en institucionalizar el Día Internacional de la Poesía con la idea de recuperar el encantamiento de la oralidad y apoyar a los poetas jóvenes (lo cual siempre está bien), yo publicaba en mi poemario "Temblor" este soneto titulado "Poesía":

Temblor y sobresalto ante un abismo / de imán y de negrura, un universo / en sombras de una idea, en luz de un verso, / en sorda confesión con uno mismo.

La piel sujeta a examen, paroxismo / que aflora y que se esconde, siempre inmerso / en pulso y vibración de orden inverso, / locuaz, contradictorio en su mutismo.

Palabras de perfil, zigzagueantes, / rondando algún asunto de elegía, / y un nudo que el final se desanuda.

Preguntas que han escrito muchos antes / con tiza de desgaste y agonía. / El folio es la pizarra de la duda.

En fin, que movido por la obligación de reflexionar sobre la poesía, al menos una vez al año, yo he querido escribir, sencillamente, un artículo. Hoy sábado, por cierto, es el Día Mundial del Teatro. Tampoco hagamos ahora un drama.

Libros, aparatos y botones

(13-04-2010)

A mis compañeros de la red profesional LyB
(Lectura y Bibliotecas) de Málaga.

Los libros son los aparatos tecnológicamente más poderosos que existen, y al mismo tiempo los más sencillos de manejar. Tan sólo con abrir las tapas y comenzar a leer, muchas veces se obran los prodigios más increíbles, con sólo ir pasando las páginas. Sólo es preciso elegir bien —el libro y el momento—, pero no hacen falta cables ni circuitos, ni costosos dispositivos electrónicos; no hay contraseñas ni barreras, y las claves no son secretas, sino que están ahí para ser compartidas entre quienes escribieron una vez y quienes lean ahora o mañana.

Esas pequeñas figuras circulares que se encuentran dispersas por entre las páginas, encima de las íes y jotas, o al final de las oraciones y párrafos, en realidad no son puntos, sino disimulados botones que los lectores pueden, de un modo inconsciente, activar inalámbricamente para establecer una conexión entre dos mundos. Cuando uno de esos botones se coloca encima de otro, se avecina una sorpresa o se obtiene una explicación que casi nunca defrauda las expectativas. A veces, se ponen en fila y se agrupan disciplinadamente, de tres en tres, y entonces la intuición se explaya en total libertad buscando continuar o completar una serie invisible de evocaciones o sugerencias.

Pero su principal utilidad consiste en relacionar ideas, enlazándolas o contraponiéndolas, uniéndolas o separándolas en un armónico vaivén que te reconforta como una caricia, o te sacude como una descarga eléctrica, según las ocasiones. Cada uno de esos pequeños botones mágicos, esos diminutos círculos negros que la gente llama puntos, son como la boca de un pozo que te transporta a nuevas realidades, o sencillamente, la representación de esos agujeros negros de los que hablan los astrólogos, capaces de abrir en un santiamén nuevas dimensiones en cualquier esquina de los universos propios o ajenos, insospechados tiempos y espacios que se aparecen, en un principio informes y desordenados, y luego van poco a poco tomando los perfiles que les dibuja, a su medida exacta, quien los va descubriendo y recorriendo al tiempo que los va imaginando.

Cualquier empresario avezado pagaría lo que fuera por un programa informático que tuviera la característica fundamental de poder interconectar tan fácil y tan íntimamente los pensamientos, los sentimientos y las experiencias de dos seres distantes en el tiempo y en el espacio, y cualquier usuario de los mundos cibernéticos sacrificaría muchas horas de sueño hasta poder localizar un videojuego que le permitiera explorar las realidades virtuales de un modo tan intenso y apasionado. Ellos no saben ver cuando miran; no se dan cuenta de que un paso más allá de sus dispositivos móviles o fijos y sus sofisticados accesorios, en los estantes que hay en las paredes al fondo de las mesas y escritorios donde se apilan las pantallas de sus teléfonos, sus agendas, sus *iPods* o sus ordenadores, se encuentran los aparatos tecnológicamente más poderosos que existen, y al mismo tiempo los más sencillos de manejar: los libros, esos objetos tan maravillosos y tan simples.

Citas

(24-04-2010)

Una dama tan fascinante como ella tal vez debería lucir un nombre más luminoso y positivo. Nuestras citas de ahora son consecuencia de una serie de encuentros a veces furtivos, inesperados; a veces provocados o planificados; sin duda, gratificantes. Siempre cambiantes su apariencia y nuestras circunstancias, las horas y los escenarios: al amanecer, en la quietud de la tarde, en el ocaso del día., entre los rumores de un parque, en la intimidad de mi casa, al calor de alguna playa.

Mis citas con ella han deparado muchos momentos que no se olvidan, secuencias que después vuelven regularmente a la memoria y a los labios para evocar el comienzo prometedor de diferentes planteamientos, cuando yo me quedaba embelesado con las historias que ella me contaba. Una vez comenzó nuestro encuentro hablándome de una tarde remota en la que alguien llamado Aureliano fue llevado por su padre, muchos años después, a conocer el hielo. En otra ocasión memorable, su relato empezó con una luz de ceniza y olivo que flotaba sobre el río haciendo distinguir la delgada silueta de la Maga sobre el *Pont des Arts*. En otra cita me habló de un tal Gregorio, que se había levantado una mañana de octubre más temprano de lo habitual después de pasar una noche confusa, y hacia el amanecer creyó soñar que un mensajero con antorcha se asomaba a la puerta para anunciarle que el día de la desgracia al fin había llegado (lo cual me hizo acordarme de otro Gregorio —del que me había hablado otro día— que también se despertó una mañana, tras un sueño intranquilo, convertido en un monstruoso insecto).

Cuántas historias tristes, como aquella que empezaba con la muerte de mamá —hoy o tal vez ayer— según anunciaba un telegrama del asilo, y cuántas intrigas y enredos amables, como cuando me hizo reír con las aventuras de un peluquero ocasional que comienza viendo entrar en su local de trabajo un par de piernas (bien torneadas y tal y cual). En fin, tantas y tantas citas que dieron muchísimo juego, y permitidme que me calle los secretos de nuestra peculiar relación, que no era sino un fértil dialogo de silencios.

Repito que 'Novela' es un extraño nombre para una dama tan fascinante, un nombre que no he encontrado en el santoral, pero que sé que abunda en cualquier inventario de sueños. Esta tarde podría haber tenido otro encuentro con ella, pero mi cita de hoy era con vosotros, queridos lectores, y por eso me he detenido a explicaros con cierto detalle esas curiosas metamorfosis en virtud de las cuales, atrapado, como siempre, en la pasión por la literatura, mi imaginación consigue que muchas citas textuales se conviertan, con la complicidad del tiempo, en citas amorosas.

'Estudio de piernas', fotografía de Hans Finsler.

Nuevos formatos, viejas ataduras

(01-06-2010)

Hay un tema que me da un poco de pereza tratar aquí, pero que no puedo evitar por más tiempo: la coexistencia entre los libros y los "aparatos de lectura" o libros electrónicos. Mucho lleva uno leído sobre la rendición a las exigencias de la modernidad y la divinización de la tecla, con argumentos agoreros y esquelas precipitadas, pero los editores y los libreros siguen viendo al libro tradicional con buena salud, como un icono cultural resistente que está bien preparado para convivir con los retos del futuro. La cuestión es meramente económica (de ahí mi pereza), porque parece claro que todos los sectores implicados en el negocio editorial afilan sus armas para intentar no perder porcentaje en su trozo de pastel.

Tres grandes grupos editoriales españoles han pactado el núcleo de lo que será la primera gran plataforma digital de venta de libros es español (y en catalán), con el objetivo de facilitar la llegada a cualquier parte del mundo de títulos en ambos idiomas. Lo han hecho porque la irrupción del libro digital les permite a ellos —los editores— ahorrarse los gastos de la impresión, y otro tanto puede decirse de los gastos de transporte y distribución.

Teniendo muy en cuenta el porcentaje para los libreros, que reforzarán sus secciones de ventas *online* y adaptarán sus establecimientos con tecnología preparada para poder seguir vendiendo ellos el producto, pretenden contentar a todo el mundo, para lo cual todavía les falta conseguir que el gobierno autorice un tipo de IVA que reduzca el 18% genérico de todas las descargas hasta el 4% actualmente fijado para el libro de papel. De esta manera, dicen, el "pirata informático" sería el único actor que vería menguado su papel en la función y su margen de beneficios.

Hasta ahora, las clásicas luchas del mercado. Pero... ¿de qué modo afecta todo eso a los dos polos generadores de la transmisión literaria, el escritor y el lector? ¿Cómo se salva la pureza de esa comunicación que justifica a la literatura como arte? Pues bien, el panorama de los escritores cambia a mejor, porque si antes se llevaban el 10% del precio final por derechos de autor, ahora su retribución quedará en torno al 20-25% del precio neto final en el mundo digital. También los lectores verán el precio rebajado, pues se asegura que la compra de una obra en el nuevo formato costará entre un 20 y un 30% menos que en papel. Todo preparado, pues; todos contentos: los fundamentos del negocio son sólidos, y el primer gran lanzamiento de una plataforma digital —ya lo hemos dicho— arrancará el mes que viene.

Pero permitidme un último intento de desembarazarme de las garras de la economía para volver a una cuestión filosófica sobre el valor de los medios y los fines. Los sentimientos positivos de identificación, catarsis o apreciación estética (que se encierran en uno de los fines primordiales de una clase de comunicación tan especial y exclusiva como la literaria) los puede llegar a descubrir y a sentir cualquier lector igual ante una página escrita que ante una pantalla iluminada. El libro en papel o el electrónico no serían, entonces, sino medios facilitadores del contacto, cada uno con sus características, virtudes y límites; cuestión de gustos o costumbres, digamos.

Lo que de verdad me da miedo pensar es que en el abanico de nuevos modelos que se abran de la mano de los *"e-books"* se cuelen nuevos conceptos de la edición que, buscando hacer más "atractivo" el producto, incorporen imágenes, sonidos y colores que desvirtúen la esencia del mensaje puramente literario. La descarga de los catálogos digitalizados aumenta las posibilidades de encuentro con la buena literatura y ofrece, por tanto, un excelente servicio, pero amenazar la riqueza del mundo imaginativo del lector es como apuntar con un misil nuclear a la línea de flotación del barco que nos lleva a todos por aguas a un tiempo colectivas y estrictamente individuales. Es la imaginación de cada lector la que le permite completar a su modo las caracterizaciones y las descripciones, le hace descubrir y dar contenido a las elipsis narrativas, y forja la interpretación personal de la carga simbólica o alegórica de tantos recursos expresivos o estilísticos.

Esperemos no tener que lamentar en próximos artículos (como otras veces hemos escrito a propósito de las relaciones entre literatura y cine) que el estímulo pluridireccional de una historia bien servida para un lector activo se ha empobrecido drásticamente con una adaptación a imágenes que nos empuja a todos en una misma dirección, y nos aboca a una única interpretación posible. Esperemos librarnos de tales ataduras. De los libros —de cualquier tipo— siempre hay que esperar que nos sigan haciendo libres.

Farenheit siglo XXI

(27-06-2010)

En muchos artículos hemos argumentado ya que la facultad para escribir y el privilegio de leer no hacen más que abrir horizontes y nuevas posibilidades. Por supuesto, también nos permiten transitar libremente por cualquier ruta del pensamiento, ya esté éste pegado a la realidad más previsible o sea deudor de la fantasía más imprevisible, ya se trate de un pensamiento arraigado o desarraigado, vinculante o no con las coordenadas sociopolíticas que lo vieron nacer. No sé si lo harán o no las bebidas llamadas "energizantes", pero los procesos de lectura y escritura sí que nos dan alas, y ya es hora de hacer ver que esa libertad de la que hablo no se queda siempre en el reducto íntimo de cada individuo, sino que muchas veces trasciende a la colectividad, y puede resultar molesta e incluso peligrosa para quienes pretenden mantener controlada o amordazada a esa colectividad.

Un escritor puede cuestionarlo todo, puede contravenir las normas establecidas. No hay más que fijarse en la furia con la que las dictaduras han combatido siempre la libertad de expresión, en cualquier latitud geográfica o época histórica. Pruebe el lector a repasar la larga nómina de autores que, en distintos continentes, se han visto forzados a exiliarse después de un conflicto, una guerra, un golpe de estado. En todos esos países y circunstancias, la disyuntiva moral era la misma: mantener la integridad o salvar el pellejo.

La famosa escena de la hoguera con los libros de caballerías en El Quijote es ambivalente porque, en principio nos presenta la acción bienintencionada de personas que intentan preservar la salud mental de alguien a quien estiman y a quien quieren proteger, pero analizando los segundos y terceros significados vemos que esos fines altruistas pueden verse empañados por la turbiedad de unos medios demasiado drásticos, y la subjetividad inicial puede verse dañada por la atrocidad de unas consecuencias objetivamente irreparables. En cualquier caso,

¿quién y con qué derecho puede decidir qué libros son inconvenientes o transgresores, y para quién? Aunque alguien pretendiera hacer un bien de esa manera, podría estar haciendo un mal de muchas otras.

Es como contraponer el· valor purificador del fuego, tan presente en los rituales de nuestros ancestros mediterráneos, por ejemplo, con las sibilinas intenciones de quien utiliza esa misma simbología purificadora para asegurarse la aniquilación de todo pensamiento disidente, todo asomo de crítica. Ray Bradbury nos señalaba en "Farenheit 451" hasta qué punto de barbarie los resortes del poder son capaces de llegar con tal de silenciar lo que consideran una amenaza: los libros, concebidos como paradigma de la creación intelectual no sujeta a los rigores del pensamiento único.

Cualquiera de nosotros, querido lector, instalado en la comodidad del presente, podría ingenuamente creer que tantos y tales despropósitos quedan ya felizmente superados por la tortuosa historia de las sociedades humanas a lo largo del tiempo, que nos ha servido a todos para ir madurando, civilizándonos, evolucionar gracias a la comprensión de una serie de errores del pasado que no volverán a repetirse jamás. Y sin embargo, en la actualidad las tendencias uniformizadoras del fenómeno de la globalización y la creciente adopción de una línea de pensamiento común, políticamente correcta siempre con la administración de poder que la impulsa, nos hacen recordar el efecto anestesiante con que actuaba la Policía del Pensamiento ideada por George Orwell en "1984", la omnipresente vigilancia del Gran Hermano.

Algunos días atrás, el Vaticano se desmarcaba de las alabanzas generalizadas en el mundo de la cultura para un novelista como José Saramago, el recién desaparecido creador de algunas de las páginas más desoladoramente bellas y útiles para acercarse a la incurable desorientación del hombre moderno, y se esforzaba únicamente en reprochar su insobornable agnosticismo remarcando las bases marxistas de su pensamiento. Algunos meses atrás, Roberto Saviano fue públicamente amenazado de muerte por escribir sobre la camorra desentrañando el tenebroso mundo de tejemanejes de los clanes mafiosos, y tuvo que marcharse de Nápoles pese al éxito editorial de su novela "Gomorra". Algunos años atrás, Salman Rushdie se vio obligado a emprender un penoso itinerario de huidas y ocultamientos para escapar del fundamentalismo islámico, por haber tenido la osadía de interpretar libremente algunos aspectos del Corán en su novela "Versos satánicos".

¿Acaso no hablamos de las religiones enquistadas todavía como organizaciones de poder, de las ramificaciones del poder económico y sus grupos de influencia y presión, un camino que podría desembocar fácilmente en la tiranía de los mercados capitalistas actuales que abocan a todas las sociedades avanzadas a dar pasos, servilmente, en una única dirección posible?

Quedémonos con la última y esencial idea de que el protagonismo intelectual de alguien que no sólo piensa, relaciona y siente con libertad, sino que además elige poner por escrito sus cuestionamientos y sus conclusiones, ha de instalarse siempre en el reducto inaccesible de las decisiones y las creaciones propias. En una sociedad verdaderamente libre, las páginas de los libros señalan los márgenes de la conciencia de sus autores, un espacio al que jamás debería poder llegar ninguna tijera, ningún yugo, ningún bozal, ninguna compensación, ningún chantaje, ninguna hoguera purificadora.

A la caza de citas
(17-07-2010)

Cuando uno disfruta con la sencillez de un buen *blues* o con la
Cuando uno disfruta con la sencillez de un buen *blues* o con la complejidad de una hermosa sinfonía, del mismo modo que uno recuerda
luego un determinado fraseo (que tararea una y otra vez) o los acordes
de un movimiento que se repite siempre en la evocación de la pieza,
podemos convenir en que, de un modo general, la brillantez de una
parte representa la intensidad con que se experimentó el todo. Un
escritor ha de ser también un buen lector, y es seguro que en el transcurso de su formación muchos poemas escritos por otros han contri-
buido en su maduración lírica —determinadas imágenes, secuencias
de versos—, al igual que muchas ideas contenidas en los ensayos leí-
dos en obras ajenas, o subyacentes en los parlamentos de ciertos personajes descubiertos en obras narrativas o dramáticas han influido,
conscientemente o no, en muchas vocaciones de ensayistas, novelistas
o dramaturgos.

Esto es natural y siempre es deseable porque asegura la cadena
que se encargará de unir a las sucesivas generaciones con las tradicio-
nes culturales de sus pueblos respectivos. Lo que me parece, en cambio, artificial y forzado, y desde luego no siempre es deseable, es el
modo a veces obsesivo en que un buen número de escritores se aferra
a la brillantez de esos versos o pensamientos capturados aquí o allá,
para demostrar su sabiduría o su eclecticismo. En mi opinión, se trata
del mismo error que cometería el turista superficial que se desentiende
de su legítima experiencia como viajero pero, eso sí, se afana en capturar momentos con su cámara digital o en robar y guardar piedras,
ruinosas para todos pero preciosas para él, procedentes de todos los
monumentos históricos que visita.

El poeta que introduce cada uno de los segmentos de sus libros
con un par o tres de gloriosas citas de sus maestros, y coloca luego

nuevos destellos al frente de cada uno de sus poemas para asegurarse, al menos, algo de luz, no ha de excluir la posibilidad de que al final haya en sus libros más citas ajenas que poemas propios. Yo pienso que cuando uno aborda su propia creación poética, las verdaderas influencias no hay que declararlas porque se notan (o deberían notarse). Un poeta que se escuda en la profusión de citas se asemeja a un mago que se arriesga a estropear la rotundidad de su magia porque va explicando a cada paso dónde está el truco; es decir, en qué fundamentación previa va basando los supuestos fogonazos futuros que pueden así morir antes de nacer.

Efectivamente, hay escritores que, tal vez por inseguridad, se sienten en la necesidad de mencionar constantemente a otros autores, como estableciendo una especie de filiación poética o buscando un apoyo firme en reputaciones de otros, por muy próximas que pudieran ser o muy ilustrativas que pudieran resultar. No comprendo su urgencia por sentirse parte de una urdimbre intertextual que les asegure un sitio en la maraña de referencias culturales o académicas y alimente para ellos la posibilidad de ser citados también alguna vez. Un poema, creo, debe explicarse por sí mismo, con las propias palabras que lo constituyen, no con guiños o referencias a las palabras de otros. En vez de entender el poema como la comunicación de un corazón con otros (o una sensibilidad con otras), se entiende, aparentemente, como la comunicación de un escritor con otros escritores o críticos, y entonces ya hay ahí una frialdad y una impostura que no me interesan.

Una cosa es maravillarse ante el ingenio, la profundidad o la pertinencia de una cita, y otra, querer instrumentalizarla donde no hay que hacerlo. Saber colocar una cita adecuada en el transcurso de una conversación, por ejemplo, puede enriquecerla mucho, y permite declarar admiración o complicidad de un modo natural. No estoy abominando del uso de las citas: yo mismo les he dedicado un artículo que glosaba los ecos que dejaron en mí los comienzos, rotundos y hermosos, de determinadas novelas, y lo publiqué en un periódico digital que entonces abría su ventana al mundo con una cita diferente cada día. Lo que no me parece bien es la sobreexplotación que conduce a la falsificación.

Quizás un escritor que concibe un libro suyo como una propiedad que hay que parcelar para poder ir sembrando cada parte con citas y dedicatorias puede perder con tanta pluralidad la dimensión única de su auténtica voz. Quizás la persona que hojea apresuradamente un libro de poemas o subraya fragmentos para ayudar a la memoria no se impregna convenientemente en el tono y la temperatura, calmada y entregada, que se exige, porque, sencillamente, puede que no sea un buen lector de poesía, sino un mero cazador de citas.

Tu pupila no es azul

(30-07-2010)

La historia enseña que los procesos de producción en serie y las cadenas de montaje fueron eliminando puestos de trabajo en las fábricas porque se encargaron de las tareas mecánicas que antes realizaban las personas. El desarrollo tecnológico ha seguido después sustituyendo personal humano en las empresas porque los criterios de eficiencia han ido rindiendo culto a los ordenadores especializados, programándose circuitos autosuficientes. Las llamadas máquinas inteligentes no se han conformado con reducir significativamente el número de obreros u operarios que antes se empleaban en labores de manufactura o contabilidad, sino que han invadido los terrenos del ocio, y ya incursionan amenazadoramente en espacios hasta ahora reservados para el libre desarrollo del espíritu humano.

Sin embargo, los caminos del pensamiento y los de la imaginación (las dos vertientes principales que conforman el caudaloso río de la literatura más cristalina) no reaccionan igual ante tales invasiones. Si bien las más modernas máquinas de ajedrez son capaces de computar en pocos segundos todas las combinaciones posibles a partir de una posición determinada para decantarse siempre por una buena respuesta si no la mejor, lo cual les permite competir con garantías de éxito en cualquier torneo al más alto nivel de exigencia, ningún sistema artificialmente creado ha alcanzado todavía semejantes niveles de éxito en los diferentes campos de la creación artística.

Isaac Asimov abordaba en su 'Hombre bicentenario' la temática del robot que envidiaba en los humanos su capacidad de sentir, la única facultad que los robots no tenían a su alcance. Es gracias a los sentimientos que podemos dar una dimensión cordial a todas las facultades intelectuales encontrando nuevos parámetros —a veces absolutamente insospechados e imprevisibles— a las categorías lógicas y a las relaciones de identidad, semejanza, proporciones, causa-efecto u orden, pongo por ejemplo, pues son justamente esos factores los que intervienen en tropos literarios como la metáfora, el símil, la sinécdoque, la metonimia y el hipérbaton, respectivamente. Un uso reglamentario meramente denotativo de esas categorías y relaciones sería incapaz de dar el salto a nuevas significaciones, por lo cual, incluso el mismo Asimov estaría de acuerdo en afirmar que las aptitudes literarias no son, digamos, cualidades humanoides.

George Orwell ideó un modo de fabricación en serie de novelas al uso aportando elementos como misterio, romance, sorpresa o venganza a un tipo de máquinas clasificadoras que los mezclaban aleatoriamente, pero tales operaciones eran tendenciosas y buscaban perpetuar determinadas conductas rutinarias y conservadoras, en un ambiente de opresión opuesto precisamente al ingrediente de libertad creativa que promueve la verdadera literatura. Además, ese admirable pasaje de la novela '1984' es en sí mismo un claro ejemplo de fabulación literaria que nunca habría podido ser imaginado o compuesto por máquina alguna.

¿Cómo someter a reglas lo ingobernable por naturaleza? Cuando Gianni Rodari nos hablaba de la 'Gramática de la fantasía', sabía que un hermoso título puede ser también un buen señuelo. Si la comunicación ordinaria ha de encauzarse necesariamente a través de un código común que a todos obliga, ¿podría pensarse entonces que las relaciones sintagmáticas son como los eslabones que encadenan el pensamiento? ¿Por qué oponerse, entonces, a la necesaria función liberadora que nos llega a través de comunicaciones no ordinarias, como las que propicia la literatura?

¡Qué curiosas colisiones tendrían lugar si un sinfín de datos enciclopédicos y científicos se cruzaran en programas interactivos con las más señeras producciones literarias! A lo más, podrían corregírsele un par de deslices a algún que otro autor. Concedamos que todas las pupilas son negras, ya que lo que hace que los ojos sean azules, o marrones o verdes, es el iris. Pero aun así, ¿se trata de un error o de una licencia? ¿Por qué el poeta Bécquer no puede ver azul una pupila, si el poeta Neruda cabalga sobre el caballo verde de su poesía, allá en su isla negra, entre sonetos blancos? ¿Cuándo comprenderemos que la luz de la poesía también da vida y calor, pero no se descompone en los mismos colores que enseña la física?

Ars mutandi

(13-09-2010)

La literatura, como los demás campos del arte, ha avanzado a lo largo de los siglos a base de obedecer y desobedecer reglas, y su estudio va descubriendo equilibrios entre la sujeción a las normas cambiantes según la estética imperante en cada momento, y la rebelión ante ellas. Es complicado el modo en que la literatura ha ido consolidando tales avances, pero como resultado final de todo el proceso, naturalmente cada una de las obras literarias actuales no tiene por qué complicarse de igual modo. Un poema, por ejemplo, para ser bueno no tiene que ser necesariamente un texto complejo. Permitidme un apresurado recorrido por la historia para comprender mejor por qué.

Tras los siglos medievales de oscurantismo y mentalidad dogmática, las nuevas concepciones del hombre y del mundo marcaron una especie de pistoletazo de salida. La propia palabra Renacimiento da pistas sobre lo que ocurrió entre los siglos XV y XVI: los cánones de la cultura clásica renacieron con sus ideales de simplicidad y armonía, pero al mismo tiempo, dentro de la diversificación de intereses que caracterizaron este movimiento, genios como Leonardo Da Vinci experimentaron, mezclaron y plasmaron sus ideas en obras y en proyectos sorprendentes. Orden y desorden que iban marcando etapas de crisis y mejora.

En España surgió nada menos que la figura de Cervantes como preludio del Barroco, y la gama de géneros literarios se enriqueció con el germen de la novela moderna. Shakespeare y nuestros autores del Siglo de Oro revolucionaron el teatro dinamitando sin piedad a lo largo del siglo XVII la vieja convención de las tres unidades de tiempo, lugar y acción. Es en este siglo cuando se toma verdadera conciencia de estas convulsiones en el mundo de la cultura y el arte. Figuras como el francés Nicolas Boileau representan la resistencia conservadora ante la innovación y el cambio, recogiendo la tradición de los tratados aristotélicos y defendiendo la estética clásica en la famosa disputa entre los Antiguos y los Modernos, una polémica literaria y artística que oponía dos corrientes antagónicas en cuanto al modo de ver la cultura. Las rodillas de un mundo joven seguían doliendo porque ese mundo entraba en fase de rápido crecimiento, y cada vez permitía mayores zancadas y pasos más decisivos.

Algo fundamental que puede rastrearse muy bien desde entonces es la concepción del arte como proceso creativo que incorpora la reflexión sobre sí mismo, la meditación sobre el procedimiento que siguen las diferentes fases de la creación de la obra en sí misma. Lope de Vega nos cuenta que un tal Violante le manda hacer una composición poética, y en el mismo proceso de contárnoslo, cumple la misión de realizarla. Diego Velázquez (pongamos un ejemplo de otra de las artes del cambio, la pintura) se aprovecha de su condición de pintor de cámara para convertir un retrato real en un contraplano que nos presenta todo un cuadro de situación y mete al espectador en la habitación y casi en el mismísimo cuadro.

En efecto, con 'Las Meninas' Velázquez se convierte en precursor de eso que la modernidad anglófila denomina *Making of.* Es como si hubiera considerado las dos acepciones del adjetivo 'real' y hubiera preferido en esa ocasión retratar más la realidad que la realeza, integrándose, además, a sí mismo en el momento de la creación. (Mucho tiempo después, Pablo Picasso reconoció en Velázquez su condición de pionero y deconstruyó sus reflexiones y variaciones sobre 'Las Meninas' en toda una serie que explora el arte que hay —o que queda— dentro del arte: simbiosis entre clasicismo y modernidad).

Después de un nuevo bandazo en el vaivén de los ciclos históricos de orden y desorden, reglas y excepciones, tras el regreso a la calma ilustrada que marcó el siglo XVIII con sus caminos bien señalados por el Neoclasicismo, haciendo predominar a la razón y la enseñanza, y decretando el sometimiento de la inspiración y sus impulsos creativos de búsqueda, llegó el siglo XIX, un tiempo de desorientación y gran necesidad de adaptación a nuevos estilos y costumbres. El Romanticismo sería el nuevo hito que cumplió los ciclos de pedaleo en pos de la evasión y la ruptura, con varias etapas de montaña para el arte, volviendo con el Naturalismo y el Realismo las etapas del llano (no insinúo aquí que las novelas del gran Galdós, por ejemplo, tengan una estructura plana; simplemente, al usar la metáfora ciclista quiero contraponer fases más escarpadas o inseguras frente a otras —como el Realismo— en las que los escritores, según mi opinión, tenían más claro qué querían contar y sabían cómo hacerlo).

Pero aquella mirada hacia adentro que el arte, y la literatura en especial, se afanaba en construir como una de sus señas de identidad iba a consolidarse en los albores del siglo XX, época de ebullición con demasiados 'ismos' en el horizonte, y el hallazgo primordial de un nuevo modo de contar historias con el nacimiento del cine. Autores como Virginia Woolf o James Joyce intentaron seguir las líneas del pensamiento caótico que combina o confunde temas en la cabeza según asociaciones imprevistas, queriendo sumergirse en esa corriente de la consciencia para escribir sin demasiada elaboración aparente, tal como se piensa o se habla. Introdujeron ordenadamente sus dosis de desorden como esos peluqueros que siguen la moda e intentan fijar con laca un aspecto despeinado que pueda resultar atractivo.

Muchos autores retoman la tendencia, que ya asomaba en la picaresca española, de reservar papeles centrales para personajes discutibles, o incluso despreciables o ruines, en lugar de utilizar a héroes valerosos o protagonistas virtuosos; muchos otros gustan de desordenar la óptica narrativa mezclando las tres personas gramaticales; bastantes buscan un carácter híbrido para sus obras huyendo de la rigidez de los géneros; algunos poetas rehúyen los recursos fónicos y algunos narradores evitan los signos de puntuación; se complican las estructuras narrativas, que dejan de ser siempre lineales; se generalizan los finales abiertos.

Tal avalancha de mecanismos procedimentales convierten a la literatura en un auténtico *ars mutandi*, y en ocasiones podría parecer que hoy en día resulta obligatorio convertir a la creación en campo de pruebas, provocando seísmos o sembrando minas, para aspirar a que el producto sea bueno. Está claro que se equivoca quien prejuzga de esa manera, porque un mero valor de novedad no presupone la bondad de la factura literaria, al igual que todo lo antiguo no es malo *per se*. Se precipita quien descalifica a tal narrador por no ser lo suficientemente experimental o a tal poeta por no ser lo suficientemente radical. Toda forma de expresión consolidada y efectiva no tiene por qué pasar en seguida a ser considerada retrógrada y caduca. No se puede ser moderno a toda costa, siempre y en cada momento. Todo lleva su tiempo, y hay que respetar los ciclos de inmersión y de superficie. Aún nos falta perspectva histórica para saber si este siglo XXI quedará en los manuales futuros del arte como un mosaico con más piezas de consolidación o más de transgresión.

Digamos que la literatura es como un dardo. No importa tanto la trayectoria que siga en su vuelo; lo importante es que llegue al centro de la diana, y en nuestro caso ese centro no debe ser otro que el corazón del lector.

Pasen y lean

(25-09-2010)

Si la cara fuera, como dicen, el espejo del alma, resultaría complicado para cualquier persona ocultar ante observadores mínimamente receptivos determinados aspectos de su personalidad, su carácter, sus modos de reaccionar y de conducirse por la vida. Es como si cada individuo fuera un libro, y el rostro mostrara una especie de avance de contenidos.

En las especies animales cada individuo-libro pertenece a una tirada más homogénea, porque, como escribe Olga, personaje principal de la novela "Donde el corazón te lleve", a ojos de cualquiera no experto en zoología o no familiarizado especialmente con ellos, cada antílope podría ser idéntico a cualquier otro antílope, al igual que cada león nace con morro de león, y todos ellos mantienen siempre el mismo aspecto en la naturaleza. Pero es el hombre, y nadie más que él —mantiene en sus reflexiones Susanna Tamaro—, quien tiene un rostro, un mapa en el que se encuentra todo: su historia, su padre y su madre, su personalidad, las cosas buenas y no tan buenas que ha recibido de sus antepasados. Nada de tiradas en serie: cada libro, un ejemplar único. Cada persona, un universo.

Al igual que un rostro humano, según hemos visto, ofrece una primera identidad, la portada de un libro cobra una importancia que encierra matices que el mundo editorial no siempre ha cuidado como debiera. Es indudable que una portada neutra no predispone a la lectura, pero por el contrario, si nos cebamos en la idea de la portada como gancho que presente sólo elementos atractivos, es fácil caer en mecanismos tramposos que acentúen al final una sensación de decepción o engaño si la lectura no va respondiendo a las promesas tan alegremente expuestas.

Etimológicamente, la portada es la puerta que debe abrirnos la casa, y si puede hacernos sentir a gusto en ella desde el principio, mucho mejor. A mí, sin embargo, me gusta más la idea de la portada como una ventana, un hueco que ya desde los estantes permite a los lectores potenciales asomarse tímidamente al interior, o un resquicio que descubre a las personas que ya han leído el libro los modos sutiles o ingeniosos en los cuales el contenido también aflora, se muestra o se intuye. Movimientos de doble dirección, hacia adentro y hacia fuera: invitaciones y oportunidades para una comunicación completa.

Del mismo modo que una contraportada debe interesar pero nunca pecar por exceso de información, la configuración de la portada no ha de acumular elementos icónicos ni "destripar" sucesos definitivos o claves fundamentales. La historia la debe contar el libro a lo largo de sus páginas, y esta obviedad nunca deberían olvidarla los maquetadores ni los artistas gráficos encargados del diseño de las portadas. Un dicho muy interesante en lengua inglesa nos advierte: *Do not judge a book by its cover.* Literalmente, *no juzguen un libro por su portada,* o lo que es lo mismo, no determinemos el valor de algo basándonos sólo en su apariencia.

Así que ya está: lo he vuelto a hacer. Dedico un párrafo a las portadas de los libros concebidas como estímulos para la inteligencia o la sensibilidad, y en el párrafo siguiente desando el camino relativizando el valor de la portada y, de paso, poniendo en entredicho mi tercer proverbio de este artículo al defender más las mil palabras que la única imagen.

En los últimos tiempos, destaca el caso de los *best-sellers* o libros de superventas porque se sigue estrictamente en el lanzamiento promocional la norma de mantener la misma portada en todas las ediciones del mismo libro, en los muchos países distintos en los que se publica, antecediendo a todas las diferentes lenguas a las que se traduce. En tales circunstancias, cuando no hay margen para la artesanía o la creatividad de grupos profesionales en las diversas culturas receptoras, la portada del libro, más que a una ventana de doble dirección, se parece a un logotipo comercial.

En cualquier caso, tampoco una etiqueta estereotipada debería predisponer en contra de una lectura si uno tiene personalidad suficiente y maneja criterios propios. Ya saben, nunca (pre)juzguen un producto por su logotipo.

Formas de veneno

(12-10-2010)

La literatura es una enfermedad contagiosa, y yo aquí me comporto como un bicho malo que aparece esporádicamente con la intención de picarle a todo el que me lea. De todas formas, la distancia que simboliza la pantalla actúa como freno o salvaguarda, y muchas veces el flujo entre escritores y lectores queda congelado en un mundo de silencios. La picadura es más efectiva en aquellos encuentros presenciales que dan altavoz a la letra impresa justo delante de los oyentes, esas víctimas propiciatorias para el veneno que se les inocula a través de palabras y ritmos, fábulas y cuentos, leyendas y mitos.

En los albores de todas las civilizaciones y culturas a lo largo de los tiempos, las magias, las supersticiones, los poemas y las historias siempre se transmitieron oralmente. En pequeña escala, también en los albores de nuestras propias vidas todo el caudal literario que excitaba nuestras ingenuas sensibilidades y abría nuestros corazones infantiles a un universo de fantasías maravillosas o sobrecogedoras, era posible gracias a nuestros mayores, tantos y tantos abuelos y padres que han cantado canciones y han contado cuentos.

Mis labores profesionales recientes también han incluido muchos recreos convocando al alumnado del instituto a la biblioteca sólo para oír en silencio los textos literarios previamente escogidos que alguien les leía, sin más compromiso o responsabilidad que el de compartir un rato en torno a los libros. Un pequeño grupo de alumnos siempre asistía voluntariamente, y en ellos fundábamos algunos profesores la esperanza de que el modelo de un adulto que vive momentos gratificantes a través de la lectura, tuviera efectos benéficos, al menos en la adquisición del hábito lector y en la afición por la literatura.

Sin embargo, las sociedades actuales, llenas de ansiedades y urgencias, dejan cada vez menos resquicios para propiciar el encuentro reposado de alguien que lee o cuenta cosas frente a un grupo de oyentes, cada uno con su respiración y su sangre predispuestas a la captura de momentos placenteros y a la liturgia de la sorpresa o el hallazgo.

Por eso me gustó tanto conocer la función del lector de las fábricas de tabaco en Cuba, y me parece loable luchar por mantener vigente en estos tiempos una costumbre tan hermosa. En sus inicios, allá por 1865, algunos trabajadores de las llamadas "tabaquerías" eran designados para leer ante todos sus compañeros obras de literatura sobre todo, pero también noticias del periódico o artículos de revistas. Y no precisamente porque fueran analfabetos —muchos no lo eran en absoluto— sino porque la gente no tenía tiempo para leer, y porque esta actividad se impulsó desde el principio como una misión educativa y divulgativa, eligiéndose y alternándose cuidadosamente muchos clásicos de la literatura universal con piezas de actualidad o economía.

Tales prácticas no tenían analogía en otras partes del mundo, pero las fueron extendiendo los propios tabaqueros que emigraron de Cuba, y pronto esta tradición alcanzó a lugares como México, Puerto Rico, la República Dominicana y algunos núcleos en Estados Unidos, con mención especial para las ciudades de Tampa o Cayo Hueso en el estado de Florida, porque, sorprendentemente, se comprobó que la tarea de los "lectores de tabaquería" no sólo entretenía a los obreros, sino que además hacía aumentar la producción y elevaba el nivel cultural de la población.

Montecristo es, probablemente, la marca de cigarros más conocida del mundo, pero pocos sabrán que su nombre se origina en el personaje de la novela "El Conde de Montecristo" , de Alejandro Dumas, que fue leída por entregas, con absoluta aceptación y éxito insospechado, en la fábrica de La Habana donde se fundó la marca en 1935.

Después de este dato revelador, reservo ya mi aguijón por hoy, pero dejo en el ambiente, envueltas en el humo de los puros habanos, las huellas de ese gusanillo de la literatura, y las del calor que puede aportar cuando se transmite oralmente. Dos deliciosas formas de veneno.

Escena en una tabaquería cubana

El arte de la traducción

(12-11-2010)

El episodio bíblico de la torre de Babel está contado como una maldición, un castigo divino para la humanidad, que quedaría condenada para siempre a la confusión entre múltiples lenguas y barreras para la comunicación ideal entre todos. Sin embargo, en la diversidad no sólo está el gusto, sino el germen de una riqueza multicultural que hace posible interesantísimos contactos y trasvases.

Yo les hablo a mis alumnos de Inglés con frecuencia del "arte de la traducción" porque estoy convencido de que capturar la intencionalidad comunicativa de cualquier mensaje en una lengua determinada para trasladarla lo más fielmente posible según los usos y fórmulas lingüísticas de otra lengua, es una operación que además de conocimiento y rigor, exige altas dosis de sensibilidad.

La traducción literaria tiene parámetros propios y exige por tanto especialización. Cualquier transformación de textos narrativos, dramáticos, ensayísticos... supone un desafío intelectual porque obliga al traductor a solucionar problemas de la mejor manera posible, tomando decisiones creativas que deben satisfacer a los insospechados dobleces del lenguaje figurado, tan recurrente en literatura, con segundos significados, matices o insinuaciones, referencias ocultas o juegos de palabras.

Pero es el lenguaje poético el que presenta un camino más espinoso desde su forma en el idioma de origen hasta la forma traducida en el idioma de destino: inevitablemente, las sutilezas expresivas se unen a los factores de ritmo y musicalidad, junto con otros recursos fónicos como la rima, para abrir un abismo de complicaciones que en ocasiones no puede salvarse de un modo absolutamente satisfactorio. En muchos casos los traductores de poetas son también poetas, y la sintonía entre ellos puede no ser la más conveniente, y entonces es frecuente rastrear un porcentaje de creación literaria sorprendentemente alto en la labor del traductor. Me parece que no es de recibo apoyarse en el texto original utilizándolo en realidad como pretexto para mostrar habilidades especiales o virtuosismo innecesario, y en todo caso, aducir que se ha buscado mantener "la filosofía del texto original" nos conduce a un territorio demasiado resbaladizo y subjetivo.

Si abandonamos por un momento el campo de la traducción y, en lugar de aspirar a trasladar un texto de una lengua a otra, nos conformamos con cambiar de registro manteniendo un mismo mensaje dentro de una misma lengua, haremos un ejercicio de versatilidad, cualidad también muy valiosa para un buen escritor. El ejemplo que nos brinda Antonio Machado en su "Juan de Mairena" pone de manifiesto la necesidad de entenderse poéticamente con la realidad: en una clase de Retórica y Poética el profesor escribe en la pizarra una serie de vocablos muy infrecuentes al referirse a "los eventos consuetudinarios que acontecen en la rúa", y el alumno traduce el mensaje como "lo que pasa en la calle". Podrían enumerarse cientos de ejemplos similares que demostrarían igualmente que la simplificación y la naturalidad son buenos ingredientes para la literatura que mejor llega.

Una última vuelta de tuerca nos lleva hoy a apuntar otro cambio posible que abre una dimensión apasionante. No se trata ya de modificar el código para pasar de una lengua a otra; ni siquiera de cambiar de un registro de habla a otro distinto, sino de cambiar de un lenguaje a otro, según se quiera contar una historia con los medios de la literatura o con los del cine, siguiendo caminos discutiblemente paralelos pero con procedimientos bien diferenciados. Considerando una novela y una película como productos artísticos independientes, el tema de las adaptaciones de obras literarias a la gran pantalla abre una gama de argumentos que un aficionado como yo, tanto a la literatura como al cine, no se resistirá a comentar en un próximo artículo.

Mientras tanto, los periódicos, como siempre, nos acercarán los sucesos de actualidad que agitan las costuras del universo que habitamos. O lo que es lo mismo, nos mantendrán informados de lo que pasa en el mundo.

Capítulos y escenas

(26-11-2010)

Escribía yo hace dos semanas acerca del arte de la traducción y anunciaba este artículo de hoy, que también trata de un modo de traducción —esta vez a imágenes en movimiento— de los hechos contados en una obra escrita, poniéndose en relación de este modo dos artes poderosas: la literatura y el cine. Sabido es que cada una de ellas maneja un lenguaje diferente, cada uno con sus requerimientos y reglas, y sería un error tratar el tema de las adaptaciones sin salirse de las coordenadas comparativas, bastante poco flexibles y siempre injustas para con uno u otro medio.

Aunque hay algunas excepciones del camino recorrido a la inversa, lo más frecuente es que se parta de una novela para redactar el guión que articulará la realización de una película. En los diversos premios cinematográficos se ha consolidado una categoría muy interesante que es la de "mejor guión adaptado", y en este sentido lo que me importa analizar aquí es la cuestión de la fidelidad al texto literario.

Cuando leo una historia que me gusta y después voy a ver la película correspondiente, naturalmente no espero ver trasladada con exactitud la sintaxis lingüística al montaje cinematográfico, ni espero ver recogidas en las escenas todas y cada una de las acciones y pensamientos de los personajes en los sucesivos capítulos, pero después de valorar el resultado artístico de la película, me gusta fijarme en el respeto con el que se haya podido tratar el texto original, porque esa traducción a imágenes de la que hablaba antes no debe justificar en mi opinión el recurso a la literatura más que como una fuente, pero nunca pretextando razones menores para cambiar elementos accesorios como nombres o localizaciones, y mucho menos circunstancias significativas, o nuevos finales. Una cosa es basarse libremente en una obra para armar la película, y otra pretender adaptar un guión, y por eso digo que en este último caso se debe aspirar a refrendar la elección manejando con mesura el concepto de fidelidad.

Para ilustrar este argumento pondré un ejemplo, no sin antes dejar claro que la película en cuestión me parece excelente. "La lengua de las mariposas" obtuvo en 1999 el Goya al mejor guión adaptado, aunque contrariamente al caso normal, no se basa en una novela ni en un relato, sino que construye su historia forzando en cierta medida elementos procedentes de tres relatos independientes reunidos, junto con otros, en el libro "¿Qué me quieres, amor?", del gallego Manuel Rivas, para entrelazar el armazón definitivo de lo que se quiere contar. José Luis Cuerda aprovecha de este modo el talento del escritor (por no decir directamente que se aprovecha de él) y, utilizando como eje principal de la narración el cuento que le da título, se toma la libertad de cocinar dos ingredientes valiosos para su película, tomando el elemento romántico del relato "Un saxo en la niebla" y el elemento erótico del relato "Carmiña". Cabe pensar que en este caso la futura rentabilidad del filme se impone al respeto por el trabajo del escritor, ya que el joven músico que protagoniza "Un saxo en la niebla" pasa de pronto a convertirse en el hermano mayor de Moncho, el "Pardal" de "La lengua de las mariposas", y la joven Carmiña se convierte nada menos que en hermanastra de ambos, resultando claramente artificial su condición de hija ilegítima del sastre de la historia principal.

Para cualquier espectador inadvertido, el guión no acusa esta construcción a base de retales porque el buen trabajo de los técnicos y las interpretaciones impecables de los actores (entre ellas, sobresaliente la de don Gregorio, el viejo maestro republicano encarnado por el gran Fernán-Gómez) suavizan todas las aristas, pero quien conoce las fuentes que han servido para la preparación literaria del rodaje sabe en qué aspectos no se ha jugado limpio.

Por lo demás, como es seguro que habrá ocurrido en el caso de cualquiera, cuando acudí al cine con ganas de ver las adaptaciones de novelas con cuya lectura realmente había disfrutado, me encontré con resultados dispares: en 1984 confronté gozosamente la versión de Mario Camus de "Los santos inocentes" con la de Miguel Delibes (aclamación general); en 1986 abrí con "El nombre de la rosa" un debate entre la efectividad de Umberto Eco y el efectismo de Jean-

Jacques Annaud (luces y sombras); y en 1990, con el visionado de la película de José Antonio Zorrilla basada en la novela de Antonio Muñoz Molina "El invierno en Lisboa", presencié lo que al final habría quedado mejor como un documental en torno a la figura del trompetista de jazz Dizzie Gillespie (decepción absoluta).

En fin, triple fundido en negro para terminar: un ejemplo de la España negra, otro del oscurantismo medieval, y otro del formato clásico del cine negro. Espero que el color lo pongan ahora los comentarios de mis lectores.

Carlos Pérez Torres

Aptitudes, circunstancias y tópicos

(09-12-2010)

Cuántas veces las opiniones individuales y las sociedades enteras se dividen concentrándose todas las energías, los impulsos, las convicciones, las preferencias. en torno a dos únicos polos. Qué difícil resulta luchar contra el maniqueísmo que todo lo simplifica y trivializa. Nos persiguen las dualidades, el cuerpo y el alma, la noche y el día, el Ying y el Yang. Estos ejemplos, al menos, pueden presentarse como aspectos o momentos de una misma realidad o naturaleza, caras y cruces de la misma moneda. Lo peor de todo, lo realmente empobrecedor, es cuando la elección impone una disyuntiva absoluta, sin conciliación posible: conservador o progresista, del Madrid o del Barça, de Letras o de Ciencias.

Detengámonos a efectos de nuestra reflexión de hoy en este último tópico. Los requerimientos académicos parecen exigir, de un modo bastante artificial y a menudo precipitado, que el corazón de cualquier estudiante tome partido decantándose por una de las dos opciones clásicas como si tuviera que apoyarse en lo sucesivo sobre una sola pierna, conducirse por la vida fiado de las sinopsis neuronales de uno solo de sus hemisferios cerebrales. Si el estereotipo de las Ciencias nos conduce a la figura del sabio, el de las Letras nos lleva a la figura del artista. El primero aspira a trazar nuevos caminos por los que todos podremos luego transitar, utilizando a la razón como el machete que fuera abriendo en medio de la maleza nuevos espacios de luz, con teoremas, fórmulas y leyes universales aliados de la técnica que traerán progresos para la colectividad. El segundo aspira a interpretar la realidad de un modo personal y exclusivo descubriendo caminos individuales con la emoción como pasaporte principal, e iluminando también espacios como espejos donde otros puedan mirarse y progresar de uno en uno, aprendiendo creativamente por imitación o por oposición. Aunque en el término medio, como dice el proverbio,

169

puede estar la virtud, si el timón de las Ciencias viene a ser el cerebro, buscando su rumbo ante todo la seguridad, el timón de las Letras sería el corazón, y su rumbo el de la aventura.

Pero estas consideraciones son útiles sólo a efectos didácticos; no caigamos en las generalizaciones que empezamos criticando. En la práctica, muchos prejuicios sociales siguen refugiándose en los atavismos más primitivos, y por eso muchos padres, más allá de Ciencias o Letras, no se fijan en las cualidades de sus hijos —inclinaciones, aptitudes— sino en circunstancias externas y cambiantes —estabilidad, continuismo familiar—, y sueñan para ellos con un horizonte de sensatez y seguridad económica; querrían verlos en una clínica, en un bufete o en un despacho, pero sufren imaginándolos a merced de la inspiración o la fortuna, y desconfían de los actores (antes se les llamaba 'cómicos'), los músicos, los escritores, e incluso los periodistas.

Diferentes etapas de la historia concedieron diferentes grados de consideración a unos saberes frente a otros. Hubo épocas en las que los escribas dominaban las lenguas y las escrituras jeroglíficas sobre papiros de igual modo que conocían los secretos del cálculo y se ocupaban de redactar documentos legales y comerciales. Pasando de las civilizaciones antiguas a los tiempos medievales, los monjes copistas e ilustradores, verdaderos artistas de la caligrafía y la miniatura, se erigieron en los guardianes del saber y legaron desde sus puestos de *scriptorium* verdaderos tesoros de la medicina, la matemática, la filosofía, la teología o la historia. En otras épocas eran las cortes palaciegas las que albergaban el mecenazgo de los poderosos hacia los artistas: músicos, pintores y dramaturgos, especialmente. Actualmente, la ciencia y la tecnología ocupan puestos preferentes en una concepción más global del universo, y sin embargo se le presupone al hombre de letras y de lenguas una valiosa formación humanística de equilibrio y ecuanimidad que puede rastrearse todavía en términos como los del binomio 'letrado' o 'iletrado', que aportan juicio y dan lustre en sentido positivo (motivo de orgullo), o señalan carencias en sentido negativo (motivo de vergüenza).

Pero de todos los clichés que han dejado en este campo la literatura y luego el cine, quiero recrearme por un momento en el del joven sentimental que por lo general vence a sus disciplinados y esforzados rivales en las disputas del amor cortés. En efecto, el pecho y el lecho de las damas eran accesibles sólo para aquellos que eran amigos de las palabras más que de los números, y demostraban más habilidad con la pluma que con la espada. Además, la fuerza de esta pasión, a juzgar por los ejemplos que podríamos tomar de novelas como "Cyrano de Bergerac" o de películas como "Lope", derrotaba a cualquier otro argumento, algunos tan poderosos como la belleza física o el dinero y el confort de una vida acomodada. El mayor prestigio era para quien a través de la escritura era capaz de conmover los sentimientos de la amada, y enamorarla con las palabras.

Yo también he deambulado más por los caminos de las Letras y no debo desvelar aquí si podría presumir o no de conquistas similares, pero, por poner un ejemplo de 'beneficios adicionales' bastante menos comprometido, de mi modesta experiencia como soldado oficinista recuerdo unas cuantas cervezas y cafés que me pagaron en la cantina quienes antes, en la soledad del cuartel, me pedían que les escribiera "una carta bonita para mis padres" o "una poesía para mi novia". El boca a boca se extendía desde la sede de Habilitación, donde yo descontaba los días haciendo números entre las nóminas de los oficiales y juntando palabras entre las brumas de un tiempo de imágenes brillantes y oscuras golondrinas.

Riñas y guiños, papel mediante

(23-12-2010)

Cuando los políticos quieren atacar las posiciones o las actuaciones de sus adversarios no destacan precisamente por su elocuencia ni por su elegancia. Digamos que la señoría (o el señorío) queda en el escaño, pero no en el estilo, pues se regodean haciendo recuento y crónica pública de las incompetencias, incongruencias y corruptelas ajenas, y se limitan a poner el ventilador a tope. Sus tácticas de ataque y contraataque son torpes, y utilizan un lenguaje machacón, estereotipado y repetitivo. Y tú más.

En cambio, los escritores pueden agudizar su ingenio cambiando las armas de la difamación o el escarnio por las más sutiles de la sorna o la ironía. Son célebres por conocidas y celebradas por creativas las disputas que mantenían en nuestro Siglo de Oro los dos santones de la lírica culta, Góngora y Quevedo, capitanes del culteranismo y el conceptismo respectivamente. Cada uno de ellos imitaba el estilo del otro con la intención de burlarse, pero lo hacían por medio de composiciones de factura delicada, con insultos y cargas de profundidad que demostraban la vistosidad de los ropajes con que puede uno a veces revestir sus pildorazos de verdadera mala leche, y a menudo se citan como ejemplo del modo en que algunos autores utilizaban a la literatura como medio para buscar el desprestigio de otros autores, y lo hacían con todas sus consecuencias.

El camino inverso sería apoyarse en la rivalidad con el antagonista para aventurarse por los mundos de la recreación o la ficción, y en este caso la enemistad es el medio o el pretexto, y el fin real tendería a buscar la más pura fabulación, el germen de la literatura. Así ocurría, por ejemplo, cuando Valle-Inclán explicaba la pérdida de su brazo izquierdo contando el ataque de un feroz león en tierras africanas en lugar de cebarse con el mediocre Manuel Bueno, que no ha pasado a la historia de la literatura por sus crónicas precisamente, sino por el triste episodio de su discusión tertuliana con don Ramón —a

quien se aplican con éxito diferentes acepciones de la palabra 'genio'—
y el bastonazo de funestas consecuencias.

No crean que estas disputas quedan ancladas en antañones plie-
gos y épocas remotas. En la actualidad la lucha de vanidades renueva
la serie de polémicas, con desencuentros y ofensas, papel mediante. Al
igual que en el verso —ya lo hemos visto— ciertas ideas que en lenguaje plano y prosaico resultarían malsonantes pueden, en carne poética, alcanzar cotas de un lirismo provocador, a veces hilarante y siempre sugerente, también en la novela y el artículo contemporáneos
autores como Umbral (el dandy, el bohemio con clase, el gurú de la
movida), Cela (el odiado, el censor, el soez, el plagiario), Javier Marías
(el arrogante anglófilo, rey de su propia ínsula), y no digamos Pérez-
Reverte (ese púgil de las letras, el académico postmoderno, elitista y
marrullero), son perfectamente capaces de provocar cadenas de buena
letra y mala baba, como podría demostrarse para regocijo del personal
en una antología que presentara, por parejas, espectaculares duelos de
antipatías mutuas en ediciones críticas, con buenos golpes de ingenio y
notas al pie como puntos de sutura, dividiendo los volúmenes no en
capítulos, sino en asaltos.

Por acabar con otra conocidísima rivalidad, esta vez entre los in-
discutibles jefes de lo que se llamó años atrás el 'boom hispanoameri-
cano', siento recordarle a mis lectores que aquel famoso puñetazo en
la cara que Vargas Llosa propinó a García Márquez hace más de tres
décadas no tenía que ver con envidias ni con urgencias por alcanzar
las bondades del olimpo literario, sino que se debió exclusivamente a
las pasiones del amor, los celos, la evidencia de que la ensoñación de
un triángulo perfecto es incompatible con la presencia rotunda de
unas curvas femeninas. La enemistad entre ellos aún continúa, aunque
ahora, más hermanados que nunca, y no sólo en la admiración literaria
que a ambos les profeso sino en el reconocimiento general que supone
la concesión para los dos del más reputado galardón de la literatura
universal, mi artículo de hoy se atreve a proponerles un texto escrito
en colaboración y a medio camino entre los altos ideales y las bajas
pasiones, un breve guiño para terminar con una larga riña.

Al recibo de la presente

(01-01-2011)

Querido lector:

Espero que te encuentres bien de salud y de ánimo, preparado para afrontar este año nuevo que, al parecer, también va a ser cuesta arriba. Hoy al abrir el buzón he visto sólo cartas del banco y folletos publicitarios, como casi siempre últimamente, y he añorado los tiempos en que mandábamos cartas, mensajes personalizados escritos de puño y letra, movidos por relaciones cordiales y afecto hacia los destinatarios. Por eso he decidido hoy dejar mi artículo habitual, y en su lugar escribirte esta carta. No creo que te importe.

Ya sabes que mi tema favorito es la literatura, así que la primera idea que se me viene a la cabeza es hablarte del llamado género epistolar, una modalidad bastante olvidada, y más en los tiempos que corren, esclavos de la prisa y la electrónica.

Está claro que cualquier carta tiene una carga subjetiva importante, y sirve para expresar sentimientos y contar vivencias. El tono de cierta intimidad que se consigue, junto a la narración en primera persona siempre, acerca en términos generales la situación de quien escribe una carta a la del que inicia, por ejemplo, la escritura de un diario personal, o de su autobiografía.

Cuando mucho tiempo atrás los escritores —siempre tan innovadores ellos— se dieron cuenta de que con una serie de cartas podrían ir secuenciando un texto para crear una historia, nació este género epistolar del que te hablo. No me refiero a la publicación de la correspondencia entre escritores (muy útil, por otra parte, para conocer mejor sus personalidades y obras), sino a novelas enteras cuyo instrumento para poder suministrar informaciones y hacer avanzar la narración es la supuesta reproducción de cartas, y también, a veces, de otras cartas en respuesta a las primeras. Fíjate que digo 'supuesta reproduc-

ción' porque en realidad la novela epistolar constituye un juego literario, ya que, en el caso de que haya cruces de correspondencia, el lector
acepta la ficción de que las diferentes cartas corresponden a diferentes
personajes, que se intercambian los papeles de remitente y destinata-
rio, aún a sabiendas de que es el autor del libro el único autor de todas
las cartas que componen la historia.

Sé que los ejemplos ayudan a entender mejor lo que se intenta
explicar, así que te pondré unos cuantos. Quizá la mejor época para
este género fuera el siglo XVIII, cuando se disponía de tiempo para
pensar detenidamente la redacción de las cartas, y se contaba además
con el tiempo de espera necesario para recibir respuesta, estableción-
dose de este modo una comunicación diferida. Autores como el inglés
Richardson, el alemán Goethe o el francés Choderlos de Laclos pusieron alto el listón con títulos muy significativos ("Pamela, o La virtud
recompensada", 1740; "Las desventuras del joven Werther", 1774;
"Las amistades peligrosas", 1782, respectivamente). En el siglo XIX la
tradición de la novela gótica acogía títulos claves, como el
"Frankenstein" de Mary Shelley (1818), mientras en España algunos
autores señeros, como el cordobés Juan Valera, también cultivaban la
novela epistolar (primera parte de "Pepita Jiménez").

Pero fue ya en el siglo XX cuando, junto a ejemplos clásicos del
género, como "Los idus de Marzo" (1948) del estadounidense
Thornton Wilder, se manifiesta una mayor diversificación, pues se
hace objeto de posible tratamiento literario cualquier fórmula de
escritura cotidiana: la desgraciada niña Ana Frank, fallecida en 1944,
nunca vio realizado en vida su sueño de ser escritora, y sin embargo su
Diario se ha convertido en un clásico de Literatura Juvenil con
millones de copias vendidas; las inocentes cartas que se mandaban un
niño y una niña que vivían en Viena son la base del argumento de la
entrañable novelita de Literatura Infantil "Querida Susi, querido Paul"
(Christine Nöstlinger, 1984); gran parte de la trama de la novela
"Pantaleón y las visitadoras" utiliza como único vehículo el intercambio
de informes entre el capitán protagonista y sus superiores militares,
escritos en el estilo envarado y formal propio del conducto
reglamentario oficial (Mario Vargas Llosa, 1973); la canción del nano
Serrat "A quien corresponda" calca el frío estilo administrativo de una

instancia para recoger un variado abanico de protestas y resistencias (Joan Manuel Serrat, "En tránsito", 1981). Como resulta evidente a estas alturas, aparte de los géneros epistolares propiamente dichos, algunos escritores han querido hacer un acercamiento literario a la carta como medio de comunicación exclusivo y confidencial. Al igual que un aficionado como yo ha ideado esta vez un artículo-carta, verdaderos maestros de la literatura lo han hecho también, cultivando diferentes géneros como el ensayo, la poesía o el cuento. Citaré como ejemplo el magnífico poema-carta "A José María Palacio" en el que Antonio Machado recordaba con emoción los paisajes sorianos que compartía con Leonor, su esposa difunta.

En fin, ya ves que todo es adaptable, y ahora, recién transcurrida la primera década del siglo XXI, también la novela epistolar trata de ajustarse a los cambios tecnológicos. En 2002 se publicó "El chico de al lado", de Meg Cabot, con la originalidad de que toda, absolutamente toda la narración, está presentada en forma de intercambio de correos electrónicos. La típica historia romántica se envuelve en un halo de modernidad que hace a la historia especialmente fresca y atractiva. Desde luego, novedosa.

No me quiero poner sentimental, pero ¡qué no daría yo por volver a recoger de mi buzón, perdida entre facturas y ofertas, alguna que otra carta personal! Muchas veces una carta o cualquier texto autografiado escrito con una dedicación especial para una persona determinada, contiene la intensidad emocional que sólo puede dictar el corazón. Un hermoso poema de Miguel Hernández lo explica mejor que yo: "oigo un latido de cartas / navegando hacia su centro. (...) Cartas, relaciones, cartas: / tarjetas postales, sueños, / fragmentos de la ternura / proyectados en el cielo, / lanzados de sangre a sangre / y de deseo a deseo." (Carta, de "El hombre acecha", 1937-39).

No te aburro más con tantos datos. Espero que no te haya parecido un rollo el contenido de esta carta de hoy, y quedo a la espera de tus noticias en forma de comentarios. Lo dicho: buena suerte, y feliz año.

Recibe un fuerte abrazo de tu amigo...

...Carlos.

Justicia poética

(16-01-2011)

Fue en una emisora de radio donde oí por última vez esta expresión. En una ronda de minuto y resultado informaron de que el penalti había sido injusto, y tal vez por ello el lanzamiento se fue a las nubes: justicia poética. Me gustan las ramificaciones del lenguaje tanto como el deporte, y me hace gracia que por ellas podamos mezclar nada menos que al derecho y a la literatura sobre un rectángulo de césped.

Leo que un autor sueco desconocido verá publicada próximamente la continuación que escribió para la incomparable novela corta "El guardián entre el centeno", y pienso que no tiene límite el descaro de quien quiere aprovechar la magia de un personaje como Holden Caulfield y la aureola de misterio de un escritor como J. D. Salinger. Seguro que si el excéntrico de Salinger levantara la cabeza también le desearía, como yo, el más rotundo fracaso al tan telegrafiado proyecto de apropiación indebida. Él, por dignidad personal, y yo, por justicia poética.

Me cuentan que van a reeditarse determinadas obras de Mark Twain, no sin antes sustituir y maquillar convenientemente los oprobiosos adjetivos con los que sus personajes califican a los negros. Bienintencionadamente, piensan los promotores de tal empresa que sería un error privar de obras tan fundamentales en la literatura norteamericana a cientos o miles de potenciales lectores de la comunidad negra, y que a nadie molestaría que se modificasen determinadas adjetivaciones, sin entender que esos detalles no son sino pruebas documentales enraizadas en la más cruda realidad histórica. En su obcecación, ni siquiera están dispuestos a reconocer que lo que pretenden es sacrificar el respeto que merece la pureza de la creación artística en aras de una bobalicona corrección política.

Este asunto me incomoda tanto como cuando alguien esgrime el argumento de la crueldad en los cuentos tradicionales y plantea la posibilidad de reescribir todo un imaginario infantil sin brujas malvadas ni lobos feroces ni madrastras ni ogros ni gigantes despiadados. El caudal de energía de los niños como yo que, décadas atrás, crecían jugando en la calle echaba mano por igual de las pasiones que de los temores, y nuestro carácter se iba forjando tanto en amables sesiones de risas y aventuras con nuestra pandilla de amigos como en amagos de lucha y pedradas contra bandas rivales, en un mosaico de gestos nobles y pequeñas traiciones y venganzas, premios y castigos, sumisiones y rebeliones, bromas y travesuras, apoyos solidarios y secretas desobediencias.

En fin, que si alguien dulcificara a los padres de Hansel y Gretel o adecentara los modales de Tom Sawyer y Huckleberry Finn, estaría ensuciando la memoria de unos atildados hermanos Grimm o un superblanqueado Mark Twain en lugar de hacerles un favor que, de todas maneras, nadie les había pedido. Como siempre, convendría matizar qué se entiende por "justicia", y cómo interpretamos, en este mundo de luces y sombras, el papel de la poesía.

Carlos Pérez Torres

Historias de hoy, temas de siempre

(08-02-2011)

Alguna vez hemos tenido dudas en mi instituto a la hora de catalogar y ordenar los estantes de libros de literatura juvenil. ¿Acaso debemos ubicar a autores como Robert Louis Stevenson, Herman Melville, Alejandro Dumas o Julio Verne, que son verdaderos clásicos de la literatura sin apellidos, junto a los escritores especializados en tratar los asuntos propios del universo adolescente, movidos sólo por la edad de nuestros potenciales usuarios?

Modernamente hay una industria del libro para jóvenes que explora milimétricamente las cosas que les preocupan, las circunstancias que los enganchan, las redes que los atrapan, los sueños que comparten y las dificultades que les hacen tambalearse, caer y levantarse en medio de un torbellino de espinillas, besos, primeras veces, actos de justicia y solidaridad, venganzas y traiciones, amistades y amores, incomprensiones, rebeldías, refugios artificiales y resquicios para la esperanza. Toda una larga nómina de escritores al servicio de las editoriales especializadas cubren por encargo temáticas que parecen dictadas por los programas de asignaturas como Ética o Educación para la Ciudadanía, y así, incluso en las guías de lectura que se ofrecen como herramientas para los educadores aparece la especificación de que tal novela trata, por ejemplo, la problemática de la integración social de los inmigrantes, o tal otra aborda la de la contaminación del mundo natural, o la violencia doméstica, o la anorexia, o el acoso escolar, o el racismo, etcétera. Es ésta una línea que busca la identificación del joven lector con asuntos que tal vez haya vivido en primera persona, y sin duda ha visto a su alrededor. No digo que esta intención primordialmente educativa no incluya valores que no haya que potenciar. El entronque con la realidad —con su realidad— es un enfoque por el que bastantes chicos y chicas se acercan a los libros, y autores como Jordi Sierra i Fabra, Joan Manuel

Sobre el papel

Gisbert, Alfredo Gómez Cerdá, Blanca Álvarez o Concha López Narváez tienen un público consolidado.

Hay otra línea que busca lo contrario: la evasión a mundos irreales o fantásticos con la irrupción de geografías inventadas y personajes improbables, exóticos, sugerentes y maravillosos. La espita que abrieron J. R. R. Tolkien o Michael Ende ha sido seguida por J. K. Rowling o Christopher Paolini con notable éxito, y en España se han consagrado por esta vía autores como Laura Gallego García o Rafael Ábalos.

Sin embargo, como apuntaba al principio, en libros clásicos como "La isla del tesoro", "Moby Dick", "El conde de Montecristo" o "Viaje al centro de la tierra" las apelaciones van directamente al núcleo medular de las emociones del lector, y esta inmediatez gusta especialmente a los jóvenes aunque no vayan exclusivamente dedicadas a ellos. La búsqueda, el riesgo, la aventura, las ansias de libertad y justicia... casi son elementos constitutivos de cualquier corazón inocente y puro que sea capaz de latir apasionada y libremente, y no cuando toque porque alguien considere que la situación es propicia; un corazón joven de espíritu —y no necesariamente de edad— que vibre con el tacto de las páginas a la luz de algún flexo solitario desgranando el mosaico de posibilidades que a lo largo de tantas generaciones ha temblado con la rotundidad de las obsesiones de Poe, la humanidad del monstruo de Mary Shelley, la complejidad del vampiro de Bram Stoker, la inteligencia en las deducciones de Conan-Doyle, los juegos de sospechas de Agatha Christie, la rudeza de los corsarios de Salgari, la nobleza de los perros de Jack London o la magia en los cuentos de las mil y una noches.

En fin, a lo que iba: según entramos en la biblioteca de mi instituto, encontramos a un lado los estantes de "Literatura Juvenil" donde los alumnos pueden elegir entre grandes historias del momento, ésas que les permiten conocer el mundo; y al otro lado, el apartado de "Clásicos y Aventuras", donde les espera el encuentro con los grandes temas de siempre, ésos que les ayudan, sin que se den cuenta, a conocerse a sí mismos.

Sobre el papel

(18-03-2011)

Ayer me quedé con un retazo de conversación oída por la calle: "Sobre el papel, todo es muy bonito, pero luego en la realidad...". "Sobre el papel", dijeron. Me hizo pensar en la naturaleza de lo escrito como realidad sucedánea de la otra realidad, la objetiva, la que verdaderamente existe o importa. Literatura, igual a ficción, igual a mentira. Realidad, igual a verdad.

Yo, sin embargo, no comparto tal dicotomía. Para mí, la presencia del papel sigue teniendo gran predicamento como soporte fiel donde desdoblar todos los perfiles de mi realidad poliédrica. Los borradores de todos mis poemas y relatos pasan la criba del bolígrafo y el papel antes de conformar una versión definitiva que poder teclear sin remordimientos. Todas estas reflexiones en voz baja nacen horizontales, manuscritas sobre hojas de papel reciclado, antes de articularse ante vosotros en la verticalidad de la pantalla.

No sólo a la hora de escribir, sino también a la hora de leer, la textura física del papel invita a un tipo de comunicación activa, y los que hacemos o hemos hecho alguna vez anotaciones en los márgenes entenderemos mejor por qué. En efecto, la lectura de un libro puede y debe alejarse de la pasividad para entablar una especie de conversación, más que un interrogatorio. Se trata de compartir consideraciones improvisadas e hipótesis reveladoras, proponer comentarios que expliquen una figura, saquen conclusiones o tiren de un hilo de la trama, aunque también, ocasionalmente, surjan preguntas que son hallazgos o sospechas, certezas o dudas que no van dirigidas al autor, sino más bien a otros posibles lectores o a uno mismo en algún momento del futuro, facilitando una probable relectura.

Hay quien opina que esa costumbre de escribir en los libros estropea la pureza del mensaje, perjudica la aséptica perfección de un mundo cerrado, y de hecho, a lo largo de gran parte del siglo XX se consideró que la gente educada y respetable no debía dar rienda suelta a sus aportaciones, a veces incluso coloristas, en forma de notas, subrayados, flechas o exclamaciones. Actualmente, desde luego, la era digital combate tales prácticas, porque en caso de habilitarse algún procedimiento para hacer anotaciones electrónicamente, surgiría el problema relativo a cómo conservarlas.

Hay algunas instituciones que se esfuerzan en promover el encuentro de las grandes obras con un público proclive a mantener con ellas, de algún modo, esa suerte de conversación palpitante de la que hablaba antes. Concretamente, un organismo dependiente de la Junta de Andalucía, el Pacto Andaluz por el Libro (P.A.P.E.L.), remite desde su feliz acrónimo a la materia prima y simbólica imprescindible en el mundo de la escritura, y organiza escuelas de escritores que permiten la interacción con autores solventes que garantizan la impartición de talleres de narrativa y poesía interesantes para jóvenes deseosos de aprender y practicar, ávidos de encontrar cancha para su libertad creativa.

Algunos de mis alumnos intentan evitar el papel cuando tienen que entregar algún trabajo académico, y preguntan por la posibilidad de enviar los textos vía correo electrónico, pero yo los sigo remitiendo a la impresora y las grapas. No olvido el cumplido que me hizo una vez un exalumno, quien, tras saludarme y charlar brevemente conmigo acerca de algunos comentarios de texto que recordábamos, en la despedida vino a decir que la discutible riqueza de mis enseñanzas o mis evaluaciones no residía en la supuesta calidad de los contenidos o en la pretendida justicia de las calificaciones, sino en la ambivalencia, la sorpresa, la complicidad de los comentarios garabateados en los márgenes o a pie de página: llaves para abrir pequeñas puertas que incitan a recorrer medio en penumbra las galerías soterradas de los submundos de la literatura. Y todo eso, sin pantallas. Directamente sobre el papel.

Callejeando por el más allá

(16-04-2011)

En todos los pueblos y ciudades del mundo es normal que los nombres de muchas de sus calles fijen para siempre en la memoria colectiva el recuerdo de personas reales que una vez las transitaron, siendo larguísima la nómina de hombres y mujeres que fueron notables en su profesión, entrañables en su proceder, heroicos o admirables en la consecución de alguna gesta, algún descubrimiento, una obra artística, una conquista social, un hito histórico. Naturalmente, el callejero de Málaga también está plagado de nombres de personalidades, pudiendo encontrarse ejemplos de casi todos los gremios: políticos, escritores, doctores, arquitectos, cineastas, ingenieros, músicos, religiosos, militares, toreros., personas de carne y hueso que viven o vivieron, que fueron o son renombrados o famosos local o universalmente.

Sin embargo, no es tan frecuente que en los rótulos de las vías públicas se inmortalicen personajes de ficción, protagonistas de tramas literarias que no existieron más que en la imaginación del escritor que una vez los creó. Se dice de quien vive estrictamente la realidad que tiene los pies en la tierra, y por eso pisar determinadas calles con nombres de seres de existencia figurada parece que ayudara a situarse en una dimensión ultraterrena. Es como si uno estuviera destinado a cruzarse cotidianamente, con la máxima naturalidad, con esos fantasmas de los que hablaba en un artículo anterior, cuando tuve que perderme en otras latitudes para encontrar una mezcla evocadora de personajes e historias, libros soberbios que gozosamente han jalonado las vidas de tantos lectores a lo largo de generaciones.

Me he dado cuenta de que no necesito transportarme a playas o montes lejanos para conseguirlo. Aquí mismo, en Málaga, cualquiera puede perderse entre referencias a personajes narrativos o dramáticos con relativa facilidad. El filón del Quijote, por ejemplo, es inagotable, y permite incluso desdoblar la ficción dentro de la ficción, pues hay calles rotuladas como 'Alonso Quijano' (en la Cerrajerilla) o 'Aldonza Lorenzo' (en Los Morales), pero también otros rótulos recogen una segunda naturaleza fantástica de esas criaturas, la que de verdad los hizo inolvidables como pareja, nombrando las calles 'Don Quijote' (en la Barriguilla) y 'Dulcinea del Toboso' (en Pedregalejo).

El siglo XVI está representado en nuestro callejero, por ejemplo, en la calle 'Calixto y Melibea' (en Cortijo Alto), o la calle 'Lazarillo' (en Puerto de la Torre). Del XVII puedo destacar que ninguna vía malagueña está dedicada expresamente a William Shakespeare, y encontramos no obstante en el sector de San Jerónimo en Churriana la calle 'Romeo y Julieta', en Campanillas el 'Pasaje de Otelo', o, en el muy literario código postal 29006, la larga calle 'Hamlet', que incluye dos rotondas para posibles cambios de sentido, como si el príncipe de Dinamarca todavía dudara qué decisión tomar, qué dirección coger.

En ese mismo código postal nos saludan calles como las dedicadas a 'Sherlock Holmes', 'Quasimodo', 'Max Estrella' o 'Shanti Andía'. Cabe preguntarse si sus vecinos han reparado alguna vez en la borrosa naturaleza de quienes dan nombre a las calles donde viven. ¿Por qué no soñar con que algún residente en la última de las calles nombradas, por ejemplo, pueda haber descubierto a Pío Baroja porque quisiera conocer las andanzas de su inquieto personaje?

Una época triunfadora en nuestro callejeo por el más allá es sin duda el siglo XIX. Desde 'Fausto' y la encarnación del diablo en 'Mefistófeles' hasta 'Pepita Jiménez' o 'Madame Bovary', pasando por los personajes galdosianos de 'Nazarín' o 'Marianela', el tránsito al siglo XX viene servido de la mano de la llamada Generación del 98, bien representada con un segundo personaje valleinclanesco, el poco conocido 'El Séptimo Miau' (de 'Divinas palabras'), o con los unamunianos de 'Abel Sánchez', en la urbanización Guadalmar, o 'La tía Tula', en Santa Rosalía.

Las vinculaciones que hay o podría haber entre la literatura y las calles de una ciudad (una realidad que puede pensarse y otra que puede pisarse) ocuparán mi próximo artículo de esta serie. Por ahora, termino ya el aperitivo en éste, y dejo de hojear nuestro callejero sin pretender, por supuesto, agotar todas sus posibilidades. Ya dije antes que sólo el capítulo dedicado a la más inmortal obra de Miguel de Cervantes ocuparía una extensión insospechada, pues una simple mención en 'El Quijote' de lugares, supuestos linajes, e incluso determinados adjetivos, merecen un hueco entre los nombres de calles en Málaga, además, claro está, de un lustroso ramillete de personajes principales y secundarios.

Únicamente pretendía hacer notar que todos aquellos cuyo espíritu soñador de vez en cuando hace que acaben, como yo, perdidos entre evocaciones literarias, tienen la posibilidad de perderse también físicamente pateando diferentes zonas y distritos de nuestra ciudad, releyendo en su memoria, caminando por páginas invisibles, persiguiendo fantasmas.

Literatura en las calles

(23-04-2011)

Como había anunciado, quiero hablar hoy de la posible presencia de la literatura en las calles y los aconteceres de una localidad determinada, y en las fibras de su día a día; del porcentaje ocasional de magia que las palabras pueden endosarle a las esquinas y recodos de cualquier callejuela; de la conciencia ciudadana que podría llegar a reconocer respetuosamente un busto o una estatua como parte del patrimonio cultural que hay que proteger y divulgar.

Hace pocas fechas, entre el 14 de marzo y el 10 de abril pasados, hemos asistido en la vecina Córdoba a la explosión de 'Cosmopoética', todo un abanico de iniciativas que no sólo ha servido para organizar lecturas y charlas, exposiciones y representaciones escénicas, homenajes y talleres, sino que también ha intentado llevar la poesía a la calle, implicando a los ciudadanos en un sentido festivo de celebración y en una dinámica participativa, haciendo florecer versos en los balcones que cambiaban macetas por poemas, organizando turnos de lectores para acercarse a los versos que lucían en algunas lonas que se desplegaron en barrios el casco histórico, revolucionando calles y plazas con divertidas gymkhanas poéticas que mantuvieron la ilusión de la chiquillería siguiendo pistas disfrazadas de versos, poniendo en marcha trayectos que llenaron los autobuses de poesía, y coches con megáfono que fueron desparramando versos por toda la ciudad para hacer variar de pronto el curso de cualquier conversación y alegrar los oídos de los viandantes.

En mi anterior artículo, casi acabamos montándonos un universo paralelo a pie de calle, y eso es justamente lo que hacen en Madrid cada víspera del Día Mundial del Teatro con una marcha ciudadana que traza su recorrido por la bohemia madrileña: 'La Noche de Max Estrella' lleva ya catorce ediciones invitando a los madrileños a mezclarse con personalidades del mundo de la cultura mientras reproducen juntos el último itinerario del inolvidable personaje que imaginó Valle-Inclán para "Luces de Bohemia", haciendo todas las escalas necesarias y terminando con actuaciones musicales y refrigerio para los andariegos.

En la hermosa localidad de Granadilla de Abona, al sur de Tenerife, desde 2009 se realiza con éxito el 'Paseo Literario', una propuesta de experiencias cívico-culturales con dimensión educativa que consigue animar la vida de sus vecinos a lo largo de todo un día convirtiéndolos en protagonistas de un espectáculo en vivo que a través de narraciones permite a los asistentes compartir ambientes literarios de misterio y aventura. El objetivo principal es despertar en los ciudadanos la afición por la literatura haciéndolos partícipes de lecturas de poesía y prosa, y presentando la dramatización de escenas literarias ambientadas en lugares emblemáticos y edificios históricos del casco urbano de Granadilla.

Saliendo de España, también podemos hallar conmovedores ejemplos de países y ciudades que nos dan lecciones de respeto e incluso devoción por la literatura porque conocen bien el potencial de emociones que las letras pueden movilizar para combatir la estrechez de los límites carcelarios de cualquier marco geográfico y la grisura de la monotonía, coloreando de pronto un horizonte nuevo con ayuda de la imaginación y de la mano de las palabras. En Dublín, las atracciones turísticas incluyen rutas de escritores, y el orgullo por albergar autores de la talla de James Joyce, Oscar Wilde, Samuel Beckett, W. B. Yeats, Jonathan Swift, George Bernard Shaw o Bram Stoker (por citar sólo a los más conocidos, junto a otros nombres de la brillante hornada de la literatura irlandesa actual, como el poeta Seamus Heaney o el novelista John Banville) se traduce incluso en la venta de postales para los visitantes, que pueden elegir entre las vistas de la ciudad, los puentes sobre el río Liffey, sus acogedores pubs, sus pintas de cerveza negra o el itinerario para rastrear las andanzas de los narradores, dramaturgos y poetas que consiguieron el reconocimiento universal, llegando en varios casos a obtener el Premio Nóbel de Literatura (qué tremenda densidad en la excelencia literaria para un país tan pequeño).

Me referí en otro artículo al modo en que ciertas ciudades hispanoamericanas tienen de reverenciar a las personas capaces de hacernos soñar a través de los libros. Citaba entonces a Cartagena de Indias, y cito hoy a Medellín, otra ciudad colombiana, por la curiosa iniciativa de bautizar un hermoso lugar céntrico y espacioso, enclave ideal para encuentros e intercambios, con el glorioso nombre de 'Plaza de la Literatura'.

Reservo un repóker de preguntas en los párrafos finales para nuestra ciudad de Málaga. ¿Sería posible que nosotros también demostráramos que nuestro pasado y nuestro presente literario pueden rentabilizarse para animar la vida cultura de un modo atractivo para la ciudadanía? ¿Sería factible que ocasiones como la que hoy conmemoramos, en torno al imán del día 23 de abril y su apelación al mundo de los libros, o las que pronto nos inundarán dentro del marco de actividades de la llamada 'Noche en blanco', o la diversidad de ofertas que irradia desde El Parque la celebración anual de la Feria del Libro, incluyeran rutas de escritores o paseos literarios que nos ayudaran a todos a conocer mejor nuestras letras? Este verano en Salamanca me sorprendió el modo sencillo y amenísimo en el que un grupo de cuatro o cinco actores y actrices explicaron a quienes quisimos seguirles desde la Catedral hasta el Huerto de Calixto y Melibea los entresijos históricos de una ciudad eminentemente literaria. ¿No sería hermoso que aquí también nos condujeran de un lado a otro, empezando, por ejemplo, por el costumbrismo malagueño de Arturo Reyes o Díaz de Escovar, y siguiendo por el Modernismo, con Salvador Rueda o Rubén Darío? Toda esa ruta podría hacerse sin salir del Parque, donde se encuentran testimonios de recuerdo para todos ellos.

Para la Málaga poética del siglo XX podríamos seguir las indicaciones del proyecto didáctico que publicó M$^{\underline{s}}$ Dolores Gutiérrez Navas, con paradas dedicadas, sucesivamente, a Aleixandre, Guillén, Moreno Villa, Altolaguirre, Prados, Lorca, Hinojosa y la revista 'Litoral'. Autores más recientes, como Muñoz Rojas, Alfonso Canales, Pérez Estrada, y otros de la generación del 50 que aún están con nosotros, como Manuel Alcántara o M$^{\underline{s}}$ Victoria Atencia, tienen jardines, glorietas, institutos con sus nombres. ¿Acaso los escritores más rutilantes del panorama literario malagueño actual no podrían ayudar a conocer y apreciar mejor a los del pasado? ¿No sería fácil para Antonio Soler, por ejemplo, conseguir que en esas rutas literarias por Málaga el 'Camino de Antequera' volviera a llamarse, por unas horas, el 'Camino de los Ingleses'?

El grito silencioso

(22-05-2011)

Hablar de utopías en literatura nos lleva a sintetizar buenas dosis de humanismo y de oficio poético en ejercicios de fabulación o recreación de cómo podría ser un mundo perfecto, la sociedad ideal. Es un tema clásico porque aborda los temas de realidad/irrealidad desde una perspectiva puramente literaria, usando sólo la imaginación para intentar progresar desde la estricta libertad individual de pensamiento y expresión hasta un régimen de libertades colectivas próximo a un estado catártico de bienestar y felicidad.

En todas las épocas ha habido propuestas utópicas. Podríamos remontarnos a la 'República' de Platón para comenzar a indagar acerca de cómo buscar de un modo racional el objetivo de la justicia social, pero luego, a lo largo de la historia, la eclosión de movimientos trascendentes siempre favoreció como consecuencia inmediata la aparición de obras literarias que intentaban mostrar una sociedad justa. Así, el Renacimiento nos dejó una serie de ejemplos absolutamente referenciales, como los debidos a Tomás Moro (Utopía), Francis Bacon (Nueva Atlántida) o Tomás Campanella (La ciudad del sol), y más adelante, tras la Revolución Industrial, liberados ya de cualquier influencia filosófica y enraizados hasta el fondo en temas de sociología, economía y política, a principios del siglo XIX las propuestas de Federico Engels tuvieron gran peso e influencia, y por eso el llamado 'Socialismo Utópico' tuvo mucho que decir en el devenir de la historia.

Pues bien, una vez hecho este rápido repaso a modo de breve introducción histórica, conviene decir inmediatamente que lo más parecido a una utopía que está teniendo lugar en nuestro complicado mundo actual se localiza por igual en las plazas de muchas —cada vez más— ciudades españolas, y en el sentimiento de indignación de muchos —cada vez más— ciudadanos que están hartos de sufrir en sus carnes las consecuencias negativas de los agujeros negros del entramado capitalista del mundo global, y desencantados de un sistema de representación política que no les permite sentir esperanza porque ha perdido cualquier fundamento basado en la ética. Se trata de un fenómeno surgido en España, sorprendente a ojos de todo el mundo, que ahora anda haciéndose eco de lo que se llama en la red 'Spanish Revolution'. El movimiento 'Democracia real, ya' (o 15-M) se dice apolítico aunque tiene un fuerte carácter contestatario, y me gusta que apele a los sentimientos de pacifismo y solidaridad para poder articular sus demandas de cambio. Ya veremos qué evolución toma el asunto, pero —al menos hasta ahora— la experiencia ha sido como actualizar en las plazas, cuarenta años después, la letra y el espíritu de otra célebre formulación utópica y poética: el hermoso himno que fue el 'Imagine' de John Lennon, dándole encarnadura en las ilusiones y la ingenuidad de muchos jóvenes y en el desencanto y la indignación de muchos maduros, coincidiendo todos en el sueño de escapar de algún modo a un futuro bastante sombrío.

Las dudas y los ejercicios de dialéctica desatados en la anacrónica 'jornada de reflexión' que dio paso a la jornada electoral de hoy domingo, se resolvió de forma modélica con concentraciones multitudinarias pero tranquilas, sin incidentes y con un tono lúdico y festivo, con demostraciones de respeto y tolerancia, con decisiones asamblearias, y con un impresionante minuto de silencio en el momento justo de la transición del sábado al domingo; momento que se ha dado en llamar "el grito silencioso", en lo que me parece un absoluto hallazgo poético.

Termino, pues, con la poesía del momento, y con la convicción de que éste será uno de esos movimientos que dejan huella en la historia. Ojalá la utopía nos lleve a un territorio donde puedan enterrarse muchas de las incongruencias e injusticias de la sociedad actual. Allá, allá lejos; donde no habiten los partidos, la banca, la bolsa, el ejército, la iglesia. El pacifismo es un arma cargada de futuro.

Me gustas, democracia, pero estás como ausente.

Poética

(30-06-2011)

Hoy me toca hablar de poesía, sentirla como alimento para el espíritu, e intentar darle cuerpo. Eso es tanto como ahondar en la significación de la poesía considerándola un valor, y no quedarse en la cáscara que se contenta con un hallazgo formal, con una nota de musicalidad o con fuegos de artificio retóricos.

La gran ventaja de la poesía es que sólo se sustenta en la esencialidad de la literatura: cada poema refleja lo que en un instante experimenta el poeta y lo que en otro instante experimenta el lector cuando lo lee. Dice Pere Gimferrer —y tiene mucha razón— que la poesía no se enmascara con nada, y que a nadie se le ocurriría leer un poema para enterarse de su argumento.

Un compañero de instituto, de la rama científica, muy analítico y racionalista él, me dijo en una ocasión después de leer uno de mis libros de poemas que en ciertos pasajes se perdía porque no comprendía bien lo que yo quería decir. Lo más oportuno del caso es que fue a elegir como ejemplo un poema en concreto cuyo motor principal fue precisamente una sensación de desconcierto general. Si lo que me impulsó a la escritura ya era territorio nebuloso en mi pensamiento, ¿cómo descifrar después de la creación cada asociación de palabras imprevista? ¿para qué explicar cada imagen desconcertante? Mejor acercarse a la condición permeable del poema y ver si se sintoniza con esa sensación de insatisfacción, de denuncia de la parálisis que provoca el mandato de que hay que hacerlo todo, dejarlo todo terminado, tenerlo todo bien previsto y explicado hasta el detalle. Un poema no es una ecuación de la que hay que despejar las incógnitas.

Por otra parte, aunque el género de la poesía inicialmente tenga menos lectores que otros géneros, cuenta con la importante baza de que el tiempo juega a su favor, y el eco en los lectores puede ampliarse y durar mucho más, a lo largo de generaciones. Parece claro que, al contrario que la novela (que puede ganar lectores enseguida igual que puede perderlos en diez años), la poesía aspira a la universalidad. Es característico en el poeta hablar de sí mismo sin intermediarios y al mismo tiempo proponiendo un 'yo' que, más que un mero y anecdótico pronombre personal, se convierte en una especie de testigo que cualquiera podría recoger o asumir; por ejemplo, quien lee el poema o quien lo escucha, lo mismo ahora que dentro de cien años.

En el encabezamiento he empleado la expresión 'darle cuerpo al poema', y eso trae a mi artículo la vinculación de las artes plásticas con esta idea de poesía entendida como valor universal o referente del sentimiento humano. Hace unos años estuve presente en una exposición de la pintora Mati Moreno en la que ella yuxtaponía sus composiciones de planos, volúmenes y color a una colección de versos escogidos de poetas malagueños que, de una u otra forma, hacían su aparición en el cuadro con una dimensión de corporeidad, materia física y palpable.

Hace un par de meses leía sobre la exposición de Jaume Plensa en el conocido Parque de Esculturas de Yorkshire en Gran Bretaña, y disfrutaba con el modo en que este creador mediterráneo (tal vez el más internacional de nuestros escultores) fundía en su trabajo la poesía —de grandes autores admirados por él, como William Blake, Cesar Vallejo o T. S. Eliot— , las letras, y en definitiva, las palabras como única sustancia constitutiva de sus esculturas, que eran presentadas como figuras vacías limitadas por un original concepto de arquitectura como escritura-cuerpo. Bonita forma de ganarse el apelativo de "escultor de poemas".

Se anuncia para los próximos días un reportaje en televisión sobre otro escultor: "Juan Muñoz, el poeta del espacio". Y, desde luego, podría seguir glosando el modo en que las artes abordan actualmente las conexiones entre poesía, espacio/tiempo y sustancia o corporeidad, pero me parece de mayor utilidad terminar insistiendo en la futilidad de intentar cualquier definición de 'poesía'. Encerrarla en un corsé sería como destruirla del mismo modo que destruiríamos una burbuja (y tomo prestada la figura de Fernando Aramburu) si la abriéramos para examinarla por dentro.

Reproduzco a continuación una décima que, con el título de "Poética", publiqué en uno de mis poemarios: **Ya la tarde amarillea /y no consigo aclararme. /Buscando como un gendarme / la emoción tras cada idea, / me he puesto como tarea / definir la poesía. / Naranja, se acaba el día. / En la ventana me invento / recetas sin fundamento /para alguna teoría.**

(...)

Sí. Hoy me tocaba hablar de poesía. Después de un tiempo, ya necesitaba mi dosis periódica, este otro tipo de alimento para mi espíritu, pulso para mi cuerpo.

El villano

(11-07-2011)

Diga lo que diga la etimología, el término 'villano' no designa a la persona natural o habitante de una villa. Al menos, desde aquellos siglos en que la sociedad distinguía entre nobles, hidalgos y pueblo llano, ya nadie lo emplea en ese sentido. En cambio, los adjetivos que aporta el diccionario en sus siguientes acepciones (descortés, ruin, indigno.) sí se relacionan con el concepto que tenemos todos los que guardamos en nuestro equipaje sentimental un esquema simplón, producto de tantas horas asimilando historias, leyéndolas o viéndolas en tebeos y libros, en el cine o en la tele. El villano era el malo, el antagonista, un ingrediente principal para que la historia funcionase. Muchas veces también proporcionaba la coartada para justificar moralmente la presencia en el guión de ciertas dosis de violencia y brutalidad, golpes y sangre.

No hay héroe que valga si no es capaz de vencer al malvado enemigo, su temible competidor, y desbaratar sus planes de destrucción, sojuzgando sus instintos asesinos. ¿Qué habría sido de David sin Goliat, de Blancanieves sin la madrastra, de Spiderman sin el Duende Verde, del agente 007 sin el Doctor No, de Oliver Twist sin el viejo Fagin?

Sin embargo, una novela da mucho más juego para las complicaciones que una película, deja más espacio para los matices. En la literatura contemporánea se combaten los maniqueísmos de este tipo, y se construyen personajes complejos que son reflejo de unas personalidades poliédricas con altos y bajos, luces y sombras.

Los protagonistas ganan enteros si el lector puede acceder a sus debilidades y flaquezas, ráfagas de odio o impotencia, momentos de desaliento, del mismo modo que los antagonistas cobran interés si se nos desvelan los motivos por los que se comportan así, y descubrimos que a fin de cuentas, también ellos tienen su corazoncito. Ni siquiera tales delimitaciones quedan claras. Recordemos que ya con Stevenson las dualidades más terribles se incorporaban en una misma naturaleza —el doctor Jekyll y Mr. Hyde— de la mano de las insospechadas posibilidades que los progresos científicos empezaban a aportar a la literatura. Antes que él, Mary Shelley también había sacado de un laboratorio la trama, llena de dilemas, que un mismo nombre, el de Frankenstein, tradujo en torturas para el doctor y para su criatura, monstruosa e inocente.

Citemos aquí al gran Juan Marsé, quien, por boca del Java, uno de sus personajes jóvenes de 'Si te dicen que caí', se pregunta: "¿Qué decir de esos cuentos de miedo que hacen reír a los mayores, y de esas historias del malo que empieza a volverse bueno, y del bueno que acaba siendo malo?" Cabría preguntarse por qué en muchos modelos sociales tantas veces el personaje más chulo, transgresor o canalla, el de menos principios o escrúpulos, es precisamente quien tiene más prestigio o éxito. ¿Cómo no reconocer sin rubor la llamada erótica del poder (del poder actuar a voluntad y con impunidad, se entiende), ese atractivo del villano?

Por otra parte, ¿con qué ética se puede despreciar a alguien y quedarse uno tan pancho? ¿Quién no se ha dejado llevar alguna vez en sus juicios sobre otros por las primeras impresiones? ¿Quién, aún involuntariamente, no se ha precipitado al catalogar a fulanito o fulanita como simpático o antipático, desprendido o miserable, humilde o vanidoso., por una reacción, un gesto, un comentario? ¿Y cuántas veces el paso del tiempo o un conocimiento más profundo de la persona en cuestión no nos ha hecho desmontar teorías, desandar caminos, retractarnos, desdecirnos?

Cualquiera de nosotros tiene muchas aristas ensambladas, capas superpuestas, eslabones encadenados. La vida nos pone a todos muchas pruebas, y es arriesgado quedarnos con el perfil que damos en un momento único e irrepetible cuando presentamos sólo una dimensión, una faceta. Todos podemos ser un poco héroe o un poco villano según para quién y en qué momento. Nuestro deambular por la vida, al igual que nuestras incursiones por los libros, deberían ayudarnos a considerar la complejidad del mundo, y a discernir lo que de bueno y malo pueda haber en cada etapa que afrontemos, en cada decisión que tomemos, porque no todos pueden salvar el planeta, o ganar la recompensa, o casarse con la chica, y además, a muchos no nos gustan las perdices.

Catarsis

(19-07-2011)

Iba por la calle mirándolo todo, y alrededor cada pequeño segmento de la realidad parecía tener vida propia. A mí me extrañaba tanto apasionamiento al principio, pero luego entré en una dinámica que me permitió interiorizar los sentimientos haciéndolos míos, o compartirlos de forma subsidiaria. Era como si de pronto descubrieras que tú eras el invitado principal en una fiesta improvisada.

Yo intuía que las personas cercanas a mí también podrían maravillarse, asombrarse, indignarse, compadecerse o alegrarse al mismo tiempo que lo hacía yo. Era como si en medio de la oscuridad se hubiese orquestado una sinfonía sin notas y cada instrumento se activara misteriosamente en el momento justo.

Viajando por el tiempo sin moverme apenas, los espacios también iban cambiando con rapidez delante de mis ojos, como en la sucesión de escenas de tu vida que dicen que se ve a la entrada del último túnel, como si todos los momentos que tú hubieras vivido también encontraran conexión ahora en cada nuevo cambio de personajes, situaciones nuevas que tú identificabas como las mismas de siempre, cambio de accesorios, nuevos entornos y decorados también en tu vida que tú recolocabas dentro de una única experiencia global y panteísta que tocaba la fibra de todos. Era como si todos hablaran, con palabras, con gestos o con silencios, también de mí.

Tuvieron que subir el telón varias veces para que el elenco de actores pudiera corresponder a la atronadora salva de aplausos. Largo tiempo después de salir, las emociones aún me embargaban. Yo iba por la calle mirándolo todo —como el protagonista principal al principio de la obra— y, efectivamente, cada segmento de mi realidad circundante tenía vida propia o cobraba nueva intensidad: la animada charla de los ciclistas que me adelantaron bordeando el parque, el mirlo que cruzó saltando delante de mí, las ramas obedientes que se curvaban al roce de la brisa, las risas y gritos que anunciaban alegría o desparpajo, los cláxones que sonaban a rutina o impaciencia.

Tengo que volver al teatro más a menudo.

Marilyn

(09-08-2011)

Hace cuatro días me acordé de ella, en medio del silencio de los medios. Del hallazgo triste de su cuerpo desnudo entre las sábanas revueltas, cerca de la caja de barbitúricos. De las teorías de conspiraciones y de la versión oficial. Su sonrisa y sus ojos apagados para siempre. Su mito y su leyenda encendidos más que nunca.

Allá por el ochenta y tantos, yo asistía como alumno, junto con unos amigos, a uno de esos talleres de escritura creativa que pretenden desmenuzar las técnicas literarias remedando recetas infalibles, y el ponente nos pidió, como punto de partida para el siguiente ejercicio, que cada uno de los aspirantes a futuros escritores eligiera una dama de referencia, al igual que los caballeros andantes hacían con las señoras de sus pensamientos. Los más previsibles escogieron el nombre de Dulcinea; recuerdo que Ofelia tuvo una elección, y una también tuvo la Beatriz de la Divina Comedia. Todos los demás se basaron en clásicos de la literatura, y sólo yo pensé primero, y nombré luego, a Marilyn. Argumenté que también el cine nos remite al mundo de los sueños, y que no dije "Norma Jean", por lo cual mi elección, en más de un sentido, también se refería a un personaje.

Mi última intervención como crítico cinematográfico tuvo lugar en el programa titulado "Treinta años sin Marilyn", que se emitió en SER Málaga el seis de agosto de 1992. Pocos días después compré la postal que he escaneado para ilustrar mi artículo de hoy. Me gustó especialmente porque retrata un momento que yo interpreto como de reposo, ajeno a la cámara, sin impostura, sin pose de estrella, un instante de soledad y sosiego que muy bien podría pertenecer a una diosa que desconociera la inminencia de su propio destino trágico. Escribí un soneto basándome en esa imagen, y lo incluí en mi libro "Ruegos y Preguntas", que se publicó en 1993.

Dudo si alguien más se acordaría de ella hace cuatro días, y sin embargo sé muy bien que dentro de un año, cuando llegue el 5 de agosto y se cumplan cincuenta años de su muerte, todo el mundo escribirá sobre sus películas, su dulce voz y sus canciones, su fotogenia, su atractivo animal, su atormentada niñez, sus tres maridos, sus muchos flirteos, su legión de admiradores.

Si alguien me pide entonces una colaboración, ya adelanto que no escribiré otra vez sobre su condición de símbolo sexual superpuesto a su aureola de mujer insegura, necesitada de protección y cariño. Sólo imaginaré que estuve una vez en la terraza de una sala elegante de Manhattan mientras en el interior se celebraba tal vez una fiesta, y que, apostado en una esquina, observé durante un buen rato a una mujer muy hermosa que estaba asomada al bullicio de la calle, abstraída en los pensamientos que se enredaban zigzagueando con el humo de su cigarrillo; una mujer pensativa y sumida en un estado de abandono inalcanzable que dejaba que la brisa alterara levemente los mechones de su melena rubia sobre el vestido que la abrigaba.

Y luego, antes de seguir imaginando que durante un breve lapso de tiempo ella giró su cabeza y me miró con tristeza en los ojos para esbozar una media sonrisa, volveré a escribir, uno tras otro, los endecasílabos de aquel poema:

En medio de una larga balconada,
caliente aún del aire de la estancia,
asomas tu perfil y tu elegancia,
como ausente de ti, o abandonada.

Estatua tu silueta recortada
de altiva vocación en la distancia,
presentas una imagen de arrogancia
con tu fragilidad disimulada.

Al fondo, la ciudad-prisa sucumbe
al ritmo silencioso, denso y breve,
que aúna tu latido y su destello.

Tal vez para que el mundo se derrumbe,
el viento irreverente al fin se atreve
a alterar la quietud de tu cabello.

Fotografía de Marilyn Monroe en el hotel Ambassador, Nueva York, 1955